新潮文庫

伊豆の踊子

川端康成著

目次

伊豆の踊子

伊豆の踊子

一

道がつづら折りになって、いよいよ天城峠《あまぎとうげ》に近づいたと思う頃《ころ》、雨脚《あまあし》が杉《すぎ》の密林を白く染めながら、すさまじい早さで麓《ふもと》から私を追って来た。

私は二十歳《さい》、高等学校の制帽《せいぼう》をかぶり、紺飛白《こんがすり》の着物に袴《はかま》をはき、学生カバンを肩《かた》にかけていた。一人伊豆の旅に出てから四日目のことだった。修善寺《しゅぜんじ》温泉に一夜泊《とま》り、湯ヶ島温泉に二夜泊り、そして朴歯《ほおば》の高下駄《たかげた》で天城を登って来たのだった。重なり合った山々や原生林や深い渓谷《けいこく》の秋に見惚《みと》れながらも、私は一つの期待に胸をときめかして道を急いでいるのだった。そのうちに大粒《おおつぶ》の雨が私を打ち始めた。折れ曲った急な坂道を駈《か》け登った。ようやく峠の北口の茶屋に辿《たど》りついてほっとすると同時に、私はその入口で立ちすくんでしまった。余りに期待がみごとに的中したからである。そこで旅芸人の一行が休んでいたのだ。

突《つ》っ立っている私を見た踊子《おどりこ》が直ぐに自分の座蒲団《ざぶとん》を外して、裏返しに傍《そば》へ置いた。

「ええ……」とだけ言って、私はその上に腰《こし》を下した。坂道を走った息切れと驚《おどろ》きとで、「ありがとう」という言葉が咽《のど》にひっかかって出なかったのだ。

踊子と真近に向い合ったので、私はあわてて袂《たもと》から煙草《たばこ》を取り出した。踊子がまた連れの女の前の煙草盆《ぼん》を引き寄せて私に近くしてくれた。やっぱり私は黙《だま》っていた。

踊子は十七くらいに見えた。私には分らない古風の不思議な形に大きく髪《かみ》を結《ゆ》っていた。それが卵形の凛々《りり》しい顔を非常に小さく見せながらも、美しく調和していた。髪を豊かに誇張《こちょう》して描いた、稗史《はいし》*的な娘《むすめ》の絵姿のような感じだった。踊子の連れは四十代の女が一人、若い女が二人、ほかに長岡温泉の宿屋の印半纏《しるしばんてん》を着た二十五六の男がいた。

私はそれまでにこの踊子たちを二度見ているのだった。最初は私が湯ヶ島へ来る途《と》中《ちゅう》、修善寺へ行く彼女たちと湯川橋の近くで出会った。その時は若い女が三人だったが、踊子は太鼓《たいこ》を提《さ》げていた。私は振《ふ》り返り振り返り眺《なが》めて、旅情が自分の身についたと思った。それから、湯ヶ島の二日目の夜、宿屋へ流して来た。踊子が玄関《げんかん》の板敷《いたじき》で踊るのを、私は梯子《はしご》段の中途に腰を下して一心に見ていた。——あの日が修善寺で今夜が湯ヶ島なら、明日は天城を南に越えて湯ヶ野温泉へ行くのだろう。天城七里の山道できっと追いつけるだろう。そう空想して道を急いで来たのだったが、雨宿りの茶屋でぴったり落ち合ったものだから、私はどぎまぎしてしまったのだ。

間もなく、茶店の婆《ばあ》さんが私を別の部屋へ案内してくれた。平常用はないらしく戸障子がなかった。下を覗《のぞ》くと美しい谷が目の届かない程《ほど》深かった。私は肌《はだ》に粟粒《あわつぶ》を拵《こしら》え、かちかちと歯を鳴らして身顫《みぶる》いした。茶を入れに来た婆さんに、寒いと言うと、「おや、旦那《だんな》様お濡《ぬ》れになってるじゃございませんか。こちらで暫《しばら》くおあたりなさいまし、さあ、お召物《めしもの》をお乾《かわ》かしなさいまし」と、手を取るようにして、自分たちの居間へ誘《さそ》ってくれた。

その部屋は炉《ろ》が切ってあって、障子を明けると強い火気が流れて来た。私は敷居際《ぎわ》に立って躊躇《ちゅうちょ》した。水死人のように全身蒼《あお》ぶくれの爺《じい》さんが炉端《ろばた》にあぐらをかいているのだ。瞳《ひとみ》まで黄色く腐《くさ》ったような眼を物憂《ものう》げに私の方へ向けた。身の周りに古手紙や紙袋《かみぶくろ》の山を築いて、その紙屑《かみくず》のなかに埋《う》もれていると言ってもよかった。到底生物《とうていいきもの》と思えない山の怪奇《かいき》を眺めたまま、私は棒立ちになっていた。

「こんなお恥《はず》かしい姿をお見せいたしまして……。でも、うちのじじいでございますから御心配なさいますな。お見苦しくても、動けないのでございますから、このままで堪忍《かんにん》してやって下さいまし」

そう断わってから、婆さんが話したところによると、爺さんは長年中風を患《わずら》って、全身が不随《ふずい》になってしまっているのだそうだ。紙の山は、諸国から中風の養生を教えて来た手紙や、諸国から取り寄せた中風の薬の袋なのである。爺さんは峠を越《こ》える旅人から聞いたり、新聞の広告を見たりすると、その一つをも洩《も》らさずに、全国から中風の療法《りょうほう》を聞き、売薬を求めたのだそうだ。そして、それらの手紙や紙袋を一つも捨てずに身の周りに置いて眺めながら暮して来たのだそうだ。長年の間にそれが古ぼけた反古《ほご》の山を築いたのだそうだ。

私は婆さんに答える言葉もなく、囲炉裏《いろり》の上にうつむいていた。山を越える自動車が家を揺《ゆ》すぶった。秋でもこんなに寒い、そして間もなく雪に染まる峠を、なぜこの爺さんは下りないのだろうと考えていた。私の着物から湯気が立って、頭が痛む程火が強かった。婆さんは店に出て旅芸人の女と話していた。

「そうかねえ。この前連れていた子がもうこんなになったのかい。いい娘《あんこ》になって、お前さんも結構だよ。こんなに綺麗《きれい》になったのかねえ。女の子は早いもんだよ」

小一時間経《た》つと、旅芸人たちが出立《いでた》つらしい物音が聞えて来た。私も落着いている場合ではないのだが、胸騒《むなさわ》ぎするばかりで立ち上る勇気が出なかった。旅馴《な》れたと言っても女の足だから、十町や二十町後《おく》れたって一走りに追いつけると思いながら、炉の傍でいらいらしていた。しかし踊子たちが傍にいなくなると、却《かえ》って私の空想は解き放たれたように生き生きと踊り始めた。彼等を送り出して来た婆さんに聞いた。

「あの芸人は今夜どこで泊るんでしょう」

「あんな者、どこで泊るやら分るものでございますか、旦那様。お客があればあり次第、どこにだって泊るんでございますよ。今夜の宿のあてなんぞございますものか」

甚《はなは》だしい軽蔑《けいべつ》を含《ふく》んだ婆さんの言葉が、それならば、踊子を今夜は私の部屋に泊らせるのだ、と思った程私を煽《あお》り立てた。

雨脚が細くなって、峰《みね》が明るんで来た。もう十分も待てば綺麗《きれい》に晴れ上ると、しきりに引き止められたけれども、じっと坐《すわ》っていられなかった。

「お爺さん、お大事になさいよ。寒くなりますからね」と、私は心から言って立ち上った。爺さんは黄色い眼を重そうに動かして微《かす》かにうなずいた。

「旦那さま、旦那さま」と叫《さけ》びながら婆さんが追っかけて来た。

「こんなに戴《いただ》いては勿体《もったい》のうございます。申訳ございません」

そして私のカバンを抱きかかえて渡《わた》そうとせずに、幾《いく》ら断わってもその辺まで送ると言って承知しなかった。一町ばかりもちょこちょこついて来て、同じことを繰《く》り返していた。

「勿体のうございます。お粗末《そまつ》いたしました。お顔をよく覚えて居ります。今度お通りの時にお礼をいたします。この次もきっとお立ち寄り下さいまし。お忘れはいたしません」

私は五十銭銀貨を一枚置いただけだったので、痛く驚いて涙《なみだ》がこぼれそうに感じているのだったが、踊子に早く追いつきたいものだから、婆さんのよろよろした足取りが迷惑《めいわく》でもあった。とうとう峠のトンネルまで来てしまった。

「どうも有難《ありがと》う。お爺さんが一人だから帰って上げて下さい」と私が言うと、婆さんはやっとのことでカバンを離《はな》した。

暗いトンネルに入ると、冷たい雫《しずく》がぽたぽた落ちていた。南伊豆への出口が前方に小さく明るんでいた。

二

トンネルの出口から白塗《しろぬ》りの柵《さく》に片側を縫《ぬ》われた峠道が稲妻《いなずま》のように流れていた。この模型のような展望の裾《すそ》の方に芸人達の姿が見えた。六町と行かないうちに私は彼等の一行に追いついた。しかし急に歩調を緩《ゆる》めることも出来ないので、私は冷淡《れいたん》な風に女達を追い越してしまった。十間程先きに一人歩いていた男が私を見ると立ち止った。

「お足が早いですね。——いい塩梅《あんばい》に晴れました」

私はほっとして男と並んで歩き始めた。男は次ぎ次ぎにいろんなことを私に聞いた。

二人が話し出したのを見て、うしろから女たちがばたばた走り寄って来た。男は大きい柳行李《やなぎごうり》を背負っていた。四十女は小犬を抱いていた。上の娘が風呂敷包、中の娘が柳行李、それぞれ大きい荷物を持っていた。踊子は太鼓とその枠《わく》を負うていた。四十女もぽつぽつ私に話しかけた。

「高等学校の学生さんよ」と、上の娘が踊子に囁《ささや》いた。私が振り返ると笑いながら言った。

「そうでしょう。それくらいのことは知っています。島へ学生さんが来ますもの」

一行は大島の波浮《はぶ》の港の人達だった。春に島を出てから旅を続けているのだが、寒くなるし、冬の用意はして来ないので、下田に十日程いて伊東温泉から島へ帰るのだと言った。大島と聞くと私は一層詩を感じて、また踊子の美しい髪を眺めた。大島のことをいろいろ訊《たず》ねた。

「学生さんが沢山《たくさん》泳ぎに来るね」と、踊子が連れの女に言った。

「夏でしょう」と、私が振り向くと、踊子はどぎまぎして、

「冬でも……」と、小声で答えたように思われた。

「冬でも?」

踊子はやはり連れの女を見て笑った。

「冬でも泳げるんですか」と、私がもう一度言うと、踊子は赤くなって、非常に真面《まじ》目《め》な顔をしながら軽くうなずいた。

「馬鹿だ。この子は」と、四十女が笑った。

湯ヶ野までは河津川の渓谷に沿うて三里余りの下りだった。峠を越えてからは、山や空の色までが南国らしく感じられた。私と男とは絶えず話し続けて、すっかり親しくなった。荻乗《おぎのり》や梨本なぞの小さい村里を過ぎて、湯ヶ野の藁《わら》屋根が麓に見えるようになった頃、私は下田まで一緒《いっしょ》に旅をしたいと思い切って言った。彼は大変喜んだ。

湯ヶ野の木賃宿の前で四十女が、ではお別れ、という顔をした時に、彼は言ってくれた。

「この方はお連れになりたいとおっしゃるんだよ」

「それは、それは。旅は道連れ、世は情。私たちのようなつまらない者でも、御退屈《たいくつ》しのぎにはなりますよ。まあ上ってお休みなさいまし」と無造作に答えた。娘達は一《いち》時《どき》に私を見たが、至極なんでもないという顔で黙って、少し羞《はず》かしそうに私を眺めていた。

皆と一緒に宿屋の二階へ上って荷物を下した。畳や襖《ふすま》も古びて汚《きた》なかった。踊子が下から茶を運んで来た。私の前に坐ると、真紅《まっか》になりながら手をぶるぶる顫わせるので茶碗《ちゃわん》が茶托《ちゃたく》から落ちかかり、落すまいと畳《たたみ》に置く拍子《ひょうし》に茶をこぼしてしまった。余りにひどいはにかみようなので、私はあっけにとられた。

「まあ！　厭《いや》らしい。この子は色気づいたんだよ。あれあれ……」と、四十女が呆《あき》れ果てたという風に眉《まゆ》をひそめて手拭《てぬぐい》を投げた。踊子はそれを拾って、窮屈《きゅうくつ》そうに畳を拭《ふ》いた。

この意外な言葉で、私はふと自分を省《かえり》みた。峠の婆さんに煽り立てられた空想がぽきんと折れるのを感じた。

そのうちに突然《とつぜん》四十女が、

「書生さんの紺飛白はほんとにいいねえ」と言って、しげしげ私を眺めた。

「この方の飛白は民次と同じ柄《がら》だね。ね、そうだね。同じ柄じゃないかね」

傍の女に幾度も駄目を押してから私に言った。

「国に学校行きの子供を残してあるんですが、その子を今思い出しましてね。その子の飛白と同じなんですもの。この節は紺飛白もお高くてほんとに困ってしまう」

「どこの学校です」

「尋常《じんじょう》五年なんです」

「へえ、尋常五年とはどうも……」

「甲府の学校へ行ってるんでございますよ。長く大島に居りますけれど、国は甲斐《かい》の甲府でございましてね」

一時間程休んでから、男が私を別の温泉宿へ案内してくれた。それまでは私も芸人達と同じ木賃宿に泊ることとばかり思っていたのだった。私達は街道から石ころ路《みち》や石段を一町ばかり下りて、小川のほとりにある共同湯の横の橋を渡った。橋の向うは温泉宿の庭だった。

そこの内湯につかっていると、後から男がはいって来た。自分が二十四になることや、女房《にょうぼう》が二度とも流産と早産とで子供を死なせたことなぞを話した。彼は長岡温泉の印半纏《しるしばんてん》を着ているので、長岡の人間だと私は思っていたのだった。また顔付も話振りも相当知識的なところから、物好きか芸人の娘に惚《ほ》れたかで、荷物を持ってやりながらついて来ているのだと想像していた。

湯から上ると私は直ぐに昼飯を食べた。湯ヶ島を朝の八時に出たのだったが、その時はまだ三時前だった。

男が帰りがけに、庭から私を見上げて挨拶《あいさつ》をした。

「これで柿でもおあがりなさい。二階から失礼」と言って、私は金包みを投げた。男は断わって行き過ぎようとしたが、庭に紙包みが落ちたままなので、引き返してそれ

を拾うと、

「こんなことをなさっちゃいけません」と抛《ほう》り上げた。それが藁屋根の上に落ちた。私がもう一度投げると、男は持って帰った。

夕暮からひどい雨になった。山々の姿が遠近を失って白く染まり、前の小川が見る見る黄色く濁《にご》って音を高めた。こんな雨では踊子達が流して来ることもあるまいと思いながら、私はじっと坐っていられないので二度も三度も湯にはいってみたりしていた。部屋は薄暗《うすぐら》かった。隣室《りんしつ》との間の襖を四角く切り抜《ぬ》いたところに鴨居《かもい》から電燈が下っていて、一つの明りが二室兼用《けんよう》になっているのだった。

とんとんとんとん、激しい雨の音の遠くに太鼓の響《ひび》きが微かに生れた。私は掻《か》き破るように雨戸を明けて体を乗り出した。太鼓の音が近づいて来るようだ。雨風が私の頭を叩《たた》いた。私は眼を閉じて耳を澄《す》ましながら、太鼓がどこをどう歩いてここへ来るかを知ろうとした。間もなく三味線《しゃみせん》の音が聞えた。女の長い叫び声が聞えた。賑《にぎや》かな笑い声が聞えた。そして芸人達は木賃宿と向い合った料理屋のお座敷に呼ばれているのだと分った。二三人の女の声と三四人の男の声とが聞き分けられた。そこがすめばこちらへ流して来るのだろうと待っていた。しかしその酒宴《しゅえん》は陽気を越えて馬鹿騒ぎになって行くらしい。女の金切声が時々稲妻のように闇夜《やみよ》に鋭《するど》く通った。私は神経を尖《とが》らせて、いつまでも戸を明けたままじっと坐っていた。太鼓の音が聞える度《たび》に胸がほうと明るんだ。

「ああ、踊子《おどりこ》はまだ宴席に坐っていたのだ。坐って太鼓を打っているのだ」

太鼓が止《や》むとたまらなかった。雨の音の底に私は沈《しず》み込《こ》んでしまった。

やがて、皆が追っかけっこをしているのか、踊り廻っているのか、乱れた足音が暫《しばら》く続いた。そして、ぴたと静まり返ってしまった。私は眼を光らせた。この静けさが何であるかを闇を通して見ようとした。踊子の今夜が汚れるのであろうかと悩《なや》ましかった。

雨戸を閉じて床《とこ》にはいっても胸が苦しかった。また湯にはいった。湯を荒々《あらあら》しく掻き廻《まわ》した。雨が上って、月が出た。雨に洗われた秋の夜が冴《さ》え冴《ざ》えと明るんだ。跣《はだし》で湯殿《ゆどの》を抜け出して行ったって、どうとも出来ないのだと思った。二時を過ぎていた。

三

翌《あく》る朝の九時過ぎに、もう男が私の宿に訪ねて来た。起きたばかりの私は彼を誘《さそ》って湯に行った。美しく晴れ渡《わた》った南伊豆の小春日和《びより》で、水かさの増した小川が湯殿の下に暖かく日を受けていた。自分にも昨夜の悩ましさが夢のように感じられるのだったが、私は男に言ってみた。

「昨夜は大分遅《おそ》くまで賑かでしたね」

「なあに。聞えましたか」

「聞えましたとも」

「この土地の人なんですよ。土地の人は馬鹿騒ぎをするばかりで、どうも面白くありません」

彼が余りに何げない風なので、私は黙《だま》ってしまった。

「向うのお湯にあいつらが来ています。――ほれ、こちらを見つけたと見えて笑っていやがる」

彼に指ざされて、私は川向うの共同湯の方を見た。湯気の中に七八人の裸体《らたい》がぼんやり浮《うか》んでいた。

仄暗《ほのぐら》い湯殿の奥《おく》から、突然裸《はだか》の女が走り出して来たかと思うと、脱衣場《だついじょう》の突鼻《とっぱな》に川岸へ飛び下りそうな恰好《かっこう》で立ち、両手を一ぱいに伸《の》ばして何か叫んでいる。手拭もない真裸だ。それが踊子だった。若桐《わかぎり》のように足のよく伸びた白い裸身を眺《なが》めて、私は心に清水を感じ、ほうっと深い息を吐いてから、ことこと笑った。子供なんだ。私達を見つけた喜びで真裸のまま日の光の中に飛び出し、爪先《つまさき》きで背一ぱいに伸び上る程《ほど》に子供なんだ。私は朗《ほが》らかな喜びでことことと笑い続けた。頭が拭われたように澄んで来た。微笑《びしょう》がいつまでもとまらなかった。

踊子の髪《かみ》が豊か過ぎるので、十七八に見えていたのだ。その上娘盛《ざか》りのように装《よそお》わせてあるので、私はとんでもない思い違《ちが》いをしていたのだ。

男と一緒に私の部屋に帰っていると、間もなく上の娘が宿の庭へ来て菊畑を見ていた。踊子が橋を半分程渡っていた。四十女が共同湯を出て二人の方を見た。踊子はきゅっと肩《かた》をつぼめながら、叱られるから帰ります、という風に笑って見せて急ぎ足に引き返した。四十女が橋まで来て声を掛けた。

「お遊びにいらっしゃいまし」

「お遊びにいらっしゃいまし」

上の娘も同じことを言って、女達は帰って行った。男はとうとう夕方まで坐《すわ》り込んでいた。

夜、紙類を卸《おろ》して廻る行商人と碁《ご》を打っていると、宿の庭に突然太鼓《たいこ》の音が聞えた。私は立ち上ろうとした。

「流しが来ました」

「ううん、つまらない、あんなもの。さ、さ、あなたの手ですよ。私ここへ打ちまし

た」と、碁盤《ごばん》を突《つ》つきながら紙屋は勝負に夢中だった。私はそわそわしているうちに芸人達はもう帰り路らしく、男が庭から、

「今晩は」と声を掛けた。

私は廊下《ろうか》に出て手招きした。芸人達は庭で一寸《ちよつと》囁《ささや》き合ってから玄関《げんかん》へ廻った。男の後から娘《むすめ》が三人順々に、

「今晩は」と、廊下に手を突いて芸者のようにお辞儀《じぎ》をした。碁盤の上では急に私の負色が見え出した。

「これじゃ仕方がありません。投げですよ」

「そんなことがあるもんですか。私の方が悪いでしょう。どっちにしても細かいです」

紙屋は芸人の方を見向きもせずに、碁盤の目を一つ一つ数えてから、増々注意深く打って行った。女達は太鼓や三味線を部屋の隅《すみ》に片づけると、将棋《しようぎ》盤の上で五目並べを始めた。そのうちに私は勝っていた碁を負けてしまったのだが、紙屋は、

「いかがですもう一石、もう一石願いましょう」と、しつっこくせがんだ。しかし私が意味もなく笑っているばかりなので紙屋はあきらめて立ち上った。

娘たちが碁盤の近くへ出て来た。

「今夜はまだこれからどこかへ廻るんですか」

「廻るんですが」と、男は娘達の方を見た。

「どうしよう。今夜はもう止《よ》しにして遊ばせていただくか」

「嬉《うれ》しいね。嬉しいね」

「叱られやしませんか」

「なあに、それに歩いたってどうせお客がないんです」

そして五目並べなぞをしながら、十二時過ぎまで遊んで行った。

踊子が帰った後は、とても眠《ねむ》れそうもなく頭が冴え冴えしているので、私は廊下に出て呼んでみた。

「紙屋さん、紙屋さん」

「よう……」と、六十近い爺《じい》さんが部屋から飛び出し、勇み立って言った。

「今晩は徹夜《てつや》ですすぞ。打ち明すんですすぞ」

私もまた非常に好戦的な気持だった。

四

その次の朝八時が湯ヶ野出立《しゅったつ》の約束だった。私は共同湯の横で買った鳥打帽《とりうちぼう》をかぶり、高等学校の制帽をカバンの奥に押《お》し込んでしまって、街道《かいどう》沿いの木賃宿へ行った。二階の戸障子がすっかり明け放たれているので、なんの気なしに上って行くと、芸人達はまだ床の中にいるのだった。私は面喰《めんくら》って廊下に突っ立っていた。

私の足もとの寝床で、踊子が真赤になりながら両の掌ではたと顔を抑《おさ》えてしまった。彼女は中の娘と一つの床に寝《ね》ていた。昨夜の濃《こ》い化粧《けしよう》が残っていた。唇と眦《まなじり》の紅が少しにじんでいた。この情緒《じようちよ》的な寝姿が私の胸を染めた。彼女は眩《まぶ》しそうにくるりと寝返りして、掌で顔を隠《かく》したまま蒲団《ふとん》を辷《すべ》り出ると、廊下に坐り、

「昨晩はありがとうございました」と、綺麗《きれい》なお辞儀をして、立ったままの私をまごつかせた。

男は上の娘と同じ床に寝ていた。それを見るまで私は、二人が夫婦であることをちっとも知らなかったのだった。

「大変すみませんのですよ。今日立つつもりでしたけれど、今晩お座敷《ざしき》がありそうでございますから、私達は一日延ばしてみることにいたしました。どうしても今日お立ちになるなら、また下田でお目にかかりますわ。私達は甲州屋という宿屋にきめて居りますから、直ぐお分りになります」と四十女が寝床から半ば起き上って言った。私は突っ放されたように感じた。

「明日にしていただけませんか。おふくろが一日延ばすって承知しないもんですからね。道連れのある方がよろしいですよ。明日一緒に参りましょう」と男が言うと、四十女も附け加えた。

「そうなさいましよ。折角お連れになっていただいて、こんな我儘《わがまま》を申しちゃすみませんけれど――。明日は槍《やり》が降っても立ちます。明後日が旅で死んだ赤坊の四十九日でございましてね、四十九日には心ばかりのことを、下田でしてやりたいと前々から思って、その日までに下田へ行けるように旅を急いだのでございますよ。そんなこと申しちゃ失礼ですけれど、不思議な御縁《ごえん》ですもの、明後日はちょっと拝んでやって下さいましな」

そこで私は出立を延ばすことにして階下へ下りた。皆が起きて来るのを待ちながら、汚《きたな》い帳場で宿の者と話していると、男が散歩に誘った。街道を少し南へ行くと綺麗な橋があった。橋の欄干《らんかん》によりかかって、彼はまた身上話を始めた。東京である新派役者の群に暫く加わっていたとのことだった。今でも時々大島の港で芝居《しばい》をするのだそうだ。彼等の荷物の風呂敷から刀の鞘《さや》が足のように食《は》み出していたのだったが、お座敷でも芝居の真似《まね》をして見せるのだと言った。柳行李《やなぎごうり》の中はその衣裳《いしょう》や鍋《なべ》茶碗なぞの世帯道具なのである。

「私は身を誤った果てに落ちぶれてしまいましたが、兄が甲府で立派に家の後目を立てていてくれます。だから私はまあいらない体なんです」

「私はあなたが長岡温泉の人だとばかり思っていましたよ」

「そうでしたか。あの上の娘が女房《にょうぼう》ですよ。あなたより一つ下、十九でしてね、旅の空で二度目の子供を早産しちまって、子供は一週間ほどして息が絶えるし、女房はまだ体がしっかりしないんです。あの婆《ばあ》さんは女房の実のおふくろなんです。踊子は私の実の妹ですが」

「へえ。十四になる妹があるっていうのは……」

「あいつですよ。妹にだけはこんなことをさせたくないと思いつめていますが、そこにはまたいろんな事情がありましてね」

それから、自分が栄吉、女房が千代子、妹が薫《かおる》ということなぞを教えてくれた。もう一人の百合子《ゆりこ》という十七の娘だけが大島生れで雇《やと》いだとのことだった。栄吉はひどく感傷的になって泣き出しそうな顔をしながら河瀬を見つめていた。

引き返して来ると、白粉《おしろい》を洗い落した踊子が路《みち》ばたにうずくまって犬の頭を撫《な》でていた。私は自分の宿に帰ろうとして言った。

「遊びにいらっしゃい」

「ええ。でも一人では……」

「だから兄さんと」

「直ぐに行きます」

間もなく栄吉が私の宿へ来た。

「皆は？」

「女どもはおふくろがやかましいので」

しかし、二人が暫《しばら》く五目並べをやっていると、女たちが橋を渡ってどんどん二階へ上って来た。いつものように丁寧《ていねい》なお辞儀をして廊下に坐ったままためらっていたが、一番に千代子が立ち上った。

「これは私の部屋よ。さあどうぞ御遠慮《えんりょ》なしにお通り下さい」

一時間程遊んで芸人達はこの宿の内湯へ行った。一緒《いっしょ》にはいろうとしきりに誘われたが、若い女が三人もいるので、私は後から行くとごまかしてしまった。すると踊子が一人直ぐに上って来た。

「肩を流してあげますからいらっしゃいませって、姉さんが」と、千代子の言葉を伝えた。

湯には行かずに、私は踊子と五目を並べた。彼女は不思議に強かった。勝継《かちつぎ》をやると、栄吉や他の女は造作なく負けるのだった。五目では大抵の人に勝つ私が力一杯《いっぱい》だった。わざと甘《あま》い石を打ってやらなくともいいのが気持よかった。二人きりだから、初めのうち彼女は遠くの方から手を伸して石を下していたが、だんだん我を忘れて一心に碁盤の上へ覆《おお》いかぶさって来た。不自然な程美しい黒髪が私の胸に触《ふ》れそうになった。突然《とつぜん》、ぱっと紅《あか》くなって、

「御免《ごめん》なさい。叱られる」と石を投げ出したまま飛び出して行った。共同湯の前におふくろが立っていたのである。千代子と百合子もあわてて湯から上ると、二階へは上って来ずに逃《に》げて帰った。

この日も、栄吉は朝から夕方まで私の宿に遊んでいた。純朴《じゅんぼく》で親切らしい宿のおかみさんが、あんな者に御飯を出すのは勿体《もったい》ないと言って、私に忠告した。

夜、私が木賃宿に出向いて行くと、踊子《おどりこ》はおふくろに三味線を習っているところだった。私を見ると止《や》めてしまったが、おふくろの言葉でまた三味線を抱《だ》き上げた。歌う声が少し高くなる度に、おふくろが言った。

「声を出しちゃいけないって言うのに」

栄吉は向い側の料理屋の二階座敷に呼ばれて何か唸《うな》っているのが、こちらから見えた。

「あれはなんです」

「あれ――謡《うたい》ですよ」

「謡は変だな」

「八百屋だから何をやり出すか分りゃしません」

そこへこの木賃宿の間を借りて鳥屋をしているという四十前後の男が襖《ふすま》を明けて、御馳走《ごちそう》をすると娘達を呼んだ。踊子は百合子と一緒に箸《はし》を持って隣《とな》りの間へ行き、鳥屋が食べ荒《あら》した後の鳥鍋をつついていた。こちらの部屋へ一緒に立って来る途中《とちゅう》で、鳥屋が踊子の肩を軽く叩《たた》いた。おふくろが恐《おそ》ろしい顔をした。

「こら。この子に触《さわ》っておくれでないよ。生娘《きむすめ》なんだからね」

踊子はおじさんおじさんと言いながら、鳥屋に「水戸黄門漫遊記《まんゆうき》」を読んでくれと頼《たの》んだ。しかし鳥屋はすぐに立って行った。続きを読んでくれと私に直接言えないので、おふくろから頼んで欲《ほ》しいようなことを、踊子がしきりに言った。私は一つの期待を持って講談本を取り上げた。果して踊子がするすると近寄って来た。私が読み出すと、彼女は私の肩《かた》に触る程《ほど》に顔を寄せて真剣《しんけん》な表情をしながら、眼をきらきら輝《かがや》かせて一心に私の額をみつめ、瞬《また》き一つしなかった。これは彼女が本を読んで貰《もら》う時の癖《くせ》らしかった。さっきも鳥屋と殆《ほとん》ど顔を重ねていた。私はそれを見ていたのだった。

この美しく光る黒眼がちの大きい眼は踊子の一番美しい持ちものだった。二重瞼《ふたえまぶた》の線が言いようなく綺麗だった。それから彼女は花のように笑うのだった。花のように笑うと言う言葉が彼女にはほんとうだった。

間もなく、料理屋の女中が踊子を迎《むか》えに来た。踊子は衣裳をつけて私に言った。

「直ぐ戻《もど》って来ますから、待っていて続きを読んで下さいね」

それから廊下に出て手を突《つ》いた。

「行って参ります」

「決して歌うんじゃないよ」とおふくろが言うと、彼女は太鼓《たいこ》を提《さ》げて軽くうなずいた。おふくろは私を振《ふ》り向いた。

「今ちょうど声変りなんですから……」

踊子は料理屋の二階にきちんと坐《すわ》って太鼓を打っていた。その後姿が隣り座敷のことのように見えた。太鼓の音は私の心を晴れやかに踊らせた。

「太鼓がはいると御座敷が浮《う》き立ちますね」とおふくろも向うを見た。

千代子も百合子も同じ座敷へ行った。

一時間程すると四人一緒に帰って来た。

「これだけ……」と、踊子は握《にぎ》り拳《こぶし》からおふくろの掌《てのひら》へ五十銭銀貨をざらざら落した。

私はまた暫く「水戸黄門漫遊記」を口読した。彼等はまた旅で死んだ子供の話をした。水のように透《す》き通った赤坊が生れたのだそうである。泣く力もなかったが、それでも一週間息があったそうである。

好奇心《こうきしん》もなく、軽蔑《けいべつ》も含《ふく》まない、彼等が旅芸人という種類の人間であることを忘れてしまったような、私の尋常《じんじょう》な好意は、彼等の胸にも沁《し》み込《こ》んで行くらしかった。私はいつの間にか大島の彼等の家へ行くことにきまってしまっていた。

「爺さんのいる家ならいいね。あすこなら広いし、爺さんを追い出しとけば静かだから、いつまでいなさってもいいし、勉強もお出来なさるし」なぞと彼等同士で話し合っては私に言った。

「小さい家を二つ持って居りましてね、山の方の家は明いているようなものですもの」

また正月には私が手伝ってやって、波浮の港で皆が芝居をすることになっていた。

彼等の旅心は、最初私が考えていた程世智辛《せちがら》いものでなく、野の匂《にお》いを失わないのんきなものであることも、私に分って来た。親子兄弟であるだけに、それぞれ肉親らしい愛情で繋《つなが》り合っていることも感じられた。雇女の百合子だけは、はにかみ盛《ざか》りだからでもあるが、いつも私の前でむっつりしていた。

夜半を過ぎてから私は木賃宿を出た。娘《むすめ》達が送って出た。踊子が下駄《げた》を直してくれた。踊子は門口《かどぐち》から首を出して、明るい空を眺《なが》めた。

「ああ、お月さま。――明日は下田、嬉《うれ》しいな。赤坊の四十九日をして、おっかさんに櫛《くし》を買って貰って、それからいろんなことがありますのよ。活動へ連れて行って下さいましね」

下田の港は、伊豆相模《さがみ》の温泉場などを流して歩く旅芸人が、旅の空での故郷として懐《なつか》しがるような空気の漂《ただよ》った町なのである。

五

芸人達はそれぞれに天城を越《こ》えた時と同じ荷物を持った。おふくろの腕《うで》の輪に小犬が前足を載《の》せて旅馴《たびな》れた顔をしていた。湯ヶ野を出外れると、また山にはいった。海の上の朝日が山の腹を温めていた。私達は朝日の方を眺めた。河津川の行手に河津の浜が明るく開けていた。

「あれが大島なんですね」

「あんなに大きく見えるんですもの、いらっしゃいましね」と踊子が言った。

秋空が晴れ過ぎたためか、日に近い海は春のように霞《かす》んでいた。ここから下田まで五里歩くのだった。暫《しばら》くの間海が見え隠《かく》れしていた。千代子はのんびりと歌を歌い出した。

途中で少し険しいが二十町ばかり近い山越えの間道を行くか、楽な本街道《かいどう》を行くかと言われた時に、私は勿論近路《もちろんちかみち》を選んだ。

落葉で辷《すべ》りそうな胸突《むなつ》き上りの木下路《このしたみち》だった。息が苦しいものだから、却《かえ》ってやけ半分に私は膝頭《ひざがしら》を掌《てのひら》で突き伸《の》ばすようにして足を早めた。見る見るうちに一行は後《おく》れてしまって、話し声だけが木の中から聞えるようになった。踊子が一人裾《すそ》を高く掲《かか》げて、とっとっと私について来るのだった。一間《けん》程うしろを歩いて、その間隔《かんかく》を縮めようとも伸そうともしなかった。私が振り返って話しかけると、驚《おど》いたように微笑《ほほえ》みながら立ち止って返事をする。踊子が話しかけた時に、追いつかせるつもりで待っていると、彼女はやはり足を停めてしまって、私が歩き出すまで歩かない。路が折れ曲って一層険しくなるあたりから益々《ますます》足を急がせると、踊子は相変らず一間うしろを一心に登って来る。山は静かだった。ほかの者達はずっと後れて話し声も聞えなくなっていた。

「東京のどこに家があります」

「いいや、学校の寄宿舎にいるんです」

「私も東京は知ってます、お花見時分に踊りに行って——。小さい時でなんにも覚えていません」

それからまた踊子は、

「お父さんありますか」とか、

「甲府へ行ったことありますか」とか、ぽつりぽつりいろんなことを聞いた。下田へ着けば活動を見ることや、死んだ赤坊のことなぞを話した。

山の頂上へ出た。踊子は枯草の中の腰掛《こしか》けに太鼓を下すと手巾《ハンカチ》で汗を拭《ふ》いた。そして自分の足の埃《ほこり》を払《はら》おうとしたが、ふと私の足もとにしゃがんで袴《はかま》の裾を払ってくれた。私が急に身を引いたものだから、踊子はこつんと膝を落した。屈《かが》んだまま私の身の周りをはたいて廻《まわ》ってから、掲げていた裾を下して、大きい息をして立っている私に、

「お掛けなさいまし」と言った。

腰掛けの直ぐ横へ小鳥の群が渡《わた》って来た。鳥がとまる枝の枯葉《かれは》がかさかさ鳴る程静かだった。

「どうしてあんなに早くお歩きになりますの」

踊子は暑そうだった。私が指でべんべんと太鼓を叩くと小鳥が飛び立った。

「ああ水が飲みたい」

「見て来ましょうね」

しかし、踊子は間もなく黄ばんだ雑木の間から空《むな》しく帰って来た。

「大島にいる時は何をしているんです」

すると踊子は唐突《とうとつ》に女の名前を二つ三つあげて、私に見当のつかない話を始めた。大島ではなくて甲府の話らしかった。尋常二年まで通った小学校の友達のことらしかった。それを思い出すままに話すのだった。

十分程待つと若い三人が頂上に辿《たど》りついた。おふくろはそれからまた十分後れて着いた。

下りは私と栄吉とがわざと後れてゆっくり話しながら出発した。二町ばかり歩くと、下から踊子が走って来た。

「この下に泉があるんです。大急ぎでいらして下さいって、飲まずに待っていますから」

水と聞いて私は走った。木蔭《こかげ》の岩の間から清水が湧《わ》いていた。泉のぐるりに女達が立っていた。

「さあお先きにお飲みなさいまし。手を入れると濁《にご》るし、女の後は汚《きたな》いだろうと思って」とおふくろが言った。

私は冷たい水を手に掬《すく》って飲んだ。女達は容易にそこを離《はな》れなかった。手拭《てぬぐい》をしぼって汗を落したりした。

その山を下りて下田街道に出ると、炭焼の煙《けむり》が幾《いく》つも見えた。路傍《ろぼう》の材木に腰を下して休んだ。踊子は道にしゃがみながら、桃色《ももいろ》の櫛で犬のむく毛を梳《す》いてやっていた。

「歯が折れるじゃないか」とおふくろがたしなめた。

「いいの。下田で新しいのを買うもの」

湯ヶ野にいる時から私は、この前髪に挿《さ》した櫛を貰って行くつもりだったので、犬の毛を梳くのはいけないと思った。

道の向う側に沢山《たくさん》ある篠竹《しのだけ》の束を見て、杖《つえ》に丁度いいなぞと話しながら、私と栄吉とは一足先きに立った。踊子が走って追っかけて来た。自分の背より長い太い竹を持っていた。

「どうするんだ」と栄吉が聞くと、ちょっとまごつきながら私に竹を突きつけた。

「杖に上げます。一番太いのを抜《ぬ》いて来た」

「駄目だよ。太いのは盗《ぬす》んだと直ぐに分って、見られると悪いじゃないか。返して来い」

踊子は竹束のところまで引き返すと、また走って来た。今度は中指くらいの太さの竹を私にくれた。そして、田の畦《あぜ》に背中を打ちつけるように倒《たお》れかかって、苦しそうな息をしながら女達を待っていた。

私と栄吉とは絶えず五六間先きを歩いていた。

「それは、抜いて金歯を入れさえすればなんでもないわ」と、踊子の声がふと私の耳にはいったので振り返ってみると、踊子は千代子と並んで歩き、おふくろと百合子とがそれに少し後れていた。私の振り返ったのを気づかないらしく千代子が言った。

「それはそう。そう知らしてあげたらどう」

私の噂《うわさ》らしい。千代子が私の歯並びの悪いことを言ったので、踊子が金歯を持ち出したのだろう。顔の話らしいが、それが苦にもならないし、聞耳を立てる気にもならない程に、私は親しい気持になっているのだった。暫く低い声が続いてから踊子の言うのが聞えた。

「いい人ね」

「それはそう、いい人らしい」

「ほんとにいい人ね。いい人はいいね」

この物言いは単純で明けっ放しな響《ひび》きを持っていた。感情の傾《かたむ》きをぽいと幼く投げ出して見せた声だった。私自身にも自分をいい人だと素直《すなお》に感じることが出来た。晴れ晴れと眼を上げて明るい山々を眺めた。瞼《まぶた》の裏が微《かす》かに痛んだ。二十歳《はたち》の私は自分の性質が孤児根性《こじこんじょう》で歪《ゆが》んでいると厳しい反省を重ね、その息苦しい憂鬱《ゆううつ》に堪《た》え切れないで伊豆の旅に出て来ているのだった。だから、世間尋常の意味で自分がいい人に見えることは、言いようなく有難《ありがた》いのだった。山々の明るいのは下田の海が近づいたからだった。私はさっきの竹の杖を振り廻しながら秋草の頭を切った。

途中《とちゅう》、ところどころの村の入口に立札があった。

——物乞《ものご》い旅芸人村に入るべからず。

六

甲州屋という木賃宿は下田の北口をはいると直ぐだった。私は芸人達の後から屋根裏のような二階へ通った。天井《てんじょう》がなく、街道に向った窓際《まどぎわ》に坐《すわ》ると、屋根裏が頭につかえるのだった。

「肩《かた》は痛くないかい」と、おふくろは踊子《おどりこ》に幾度も駄目を押《お》していた。

「手は痛くないかい」

踊子は太鼓《たいこ》を打つ時の美しい手真似《てまね》をしてみた。

「痛くない。打てるね、打てるね」

「まあよかったね」

私は太鼓を提《さ》げてみた。

「おや、重いんだな」

「それはあなたの思っているより重いわ。あなたのカバンより重いわ」と踊子が笑った。

芸人達は同じ宿の人々と賑《にぎや》かに挨拶《あいさつ》を交していた。やはり芸人や香具師《やし》＊のような連中ばかりだった。下田の港はこんな渡り鳥の巣であるらしかった。踊子はちょこちょこ部屋へはいって来た宿の子供に銅貨をやっていた。私が甲州屋を出ようとすると、踊子が玄関《げんかん》に先廻りしていて下駄を揃《そろ》えてくれながら、

「活動につれて行って下さいね」と、またひとり言のように呟《つぶや》いた。

無頼漢《ぶらいかん》のような男に途中まで路を案内してもらって、私と栄吉とは前町長が主人だという宿屋へ行った。湯にはいって、栄吉と一緒《いっしょ》に新しい魚の昼飯を食った。

「これで明日の法事に花でも買って供えて下さい」

そう言って僅《わず》かばかりの包金を栄吉に持たせて帰した。私は明日の朝の船で東京に帰らなければならないのだった。旅費がもうなくなっているのだ。学校の都合があると言ったので芸人達も強《し》いて止めることは出来なかった。

昼飯から三時間と経《た》たないうちに夕飯をすませて、私は一人下田の北へ橋を渡った。下田富士に攀《よ》じ登って港を眺《なが》めた。帰りに甲州屋へ寄ってみると、芸人達は鳥鍋《とりなべ》で飯を食っているところだった。

「一口でも召《め》し上って下さいませんか。女が箸《はし》を入れて汚いけれども、笑い話の種になりますよ」と、おふくろは行李《こうり》から茶碗《ちゃわん》と箸を出して、百合子に洗って来させた。

明日が赤坊の四十九日だから、せめてもう一日だけ出立を延ばしてくれと、またしても皆が言ったが、私は学校を楯《たて》に取って承知しなかった。おふくろは繰《く》り返し言った。

「それじゃ冬休みには皆で船まで迎《むか》えに行きますよ。日を報《しら》せて下さいましね。お待ちして居りますよ。宿屋へなんぞいらしちゃ厭《いや》ですよ、船まで迎えに行きますよ」

部屋に千代子と百合子しかいなくなった時活動に誘《さそ》うと、千代子は腹を抑《おさ》えてみせて、

「体が悪いんですもの、あんなに歩くと弱ってしまって」と、蒼《あお》い顔でぐったりしていた。百合子は硬《かた》くなってうつむいてしまった。踊子は階下で宿の子供と遊んでいた。私を見るとおふくろに縋《すが》りついて活動に行かせてくれとせがんでいたが、顔を失ったようにぼんやり私のところに戻《もど》って下駄を直してくれた。

「なんだって。一人で連れて行って貰《もら》ったらいいじゃないか」と、栄吉が話し込《こ》んだけれども、おふくろが承知しないらしかった。なぜ一人ではいけないのか、私は実に不思議だった。玄関を出ようとすると踊子は犬の頭を撫《な》でていた。私が言葉を掛けかねた程《ほど》によそよそしい風だった。顔を上げて私を見る気力もなさそうだった。

私は一人で活動に行った。女弁士が豆洋燈《ランプ》で説明を読んでいた。直ぐに出て宿へ帰った。窓敷居に肘《ひじ》を突いて、いつまでも夜の町を眺めていた。暗い町だった。遠くから絶えず微かに太鼓の音が聞えて来るような気がした。わけもなく涙《なみだ》がぽたぽた落ちた。

七

出立の朝、七時に飯を食っていると、栄吉が道から私を呼んだ。黒紋附《くろもんつき》の羽織を着込んでいる。私を送るための礼装らしい。女達の姿が見えない。私は素早く寂《さび》しさを感じた。栄吉が部屋へ上って来て言った。

「皆もお送りしたいのですが、昨夜晩《おそ》く寝《ね》て起きられないので失礼させていただきました。冬はお待ちしているから是非と申して居りました」

町は秋の朝風が冷たかった。栄吉は途中で敷島《しきしま》*四箱と柿とカオールという口中清《せい》涼剤《りょうざい》とを買ってくれた。

「妹の名が薫ですから」と、微かに笑いながら言った。

「船の中で蜜柑《みかん》はよくありませんが、柿は船酔いにいいくらいですから食べられます」

「これを上げましょうか」

私は鳥打帽《とりうちぼう》を脱《ぬ》いで栄吉の頭にかぶせてやった。そしてカバンの中から学校の制帽を出して皺《しわ》を伸《の》ばしながら、二人で笑った。

乗船場に近づくと、海際にうずくまっている踊子の姿が私の胸に飛び込んだ。傍《そば》に行くまで彼女はじっとしていた。黙《だま》って頭を下げた。昨夜のままの化粧《けしょう》が私を一層感情的にした。眦《まなじり》の紅が怒《おこ》っているかのような顔に幼い凜々《りり》しさを与《あた》えていた。栄吉が言った。

「外《ほか》の者も来るのか」

踊子は頭を振《ふ》った。

「皆まだ寝ているのか」

踊子はうなずいた。

栄吉が船の切符とはしけ券とを買いに行った間に、私はいろいろ話しかけて見たが、踊子は堀割《ほりわり》が海に入るところをじっと見下したまま一言も言わなかった。私の言葉が終らない先き終らない先きに、何度となくこくりこくりうなずいて見せるだけだった。

そこへ、

「お婆《ばあ》さん、この人がいいや」と、土方風の男が私に近づいて来た。

「学生さん、東京へ行きなさるだね。あんたを見込んで頼《たの》むだがね、この婆さんを東京へ連れてってくんねえか。可哀想《かわいそう》な婆さんだ。倅《せがれ》が蓮台寺《れんだいじ》の銀山に働いていたんだがね、今度の流行性感冒《かんぼう》*で奴《やつ》で倅も嫁《よめ》も死んじまったんだ。こんな孫が三人も残っちまったんだ。どうにもしようがねえから、わしらが相談して国へ帰してやるところなんだ。国は水戸だがね、婆さん何も分らねえんだから、霊岸島《れいがんじま》へ着いたら、上野の駅へ行く電車に乗せてやってくんな。面倒《めんどう》だろうがな、わしらが手を合わして頼みてえ。まあこの有様を見てやってくれりゃ、可哀想だと思いなさるだろう」

ぽかんと立っている婆さんの背には、乳呑児《ちのみご》がくくりつけてあった。下が三つ上が五つくらいの二人の女の子が左右の手に捉《つか》まっていた。汚い風呂敷包から大きい握飯《にぎりめし》と梅干とが見えていた。五六人の鉱夫が婆さんをいたわっていた。私は婆さんの世話を快く引き受けた。

「頼みましたぞ」

「有難え。わしらが水戸まで送らにゃならねえんだが、そうも出来ねえでな」なぞと鉱夫達はそれぞれ私に挨拶した。

はしけはひどく揺《ゆ》れた。踊子はやはり脣《くちびる》をきっと閉じたまま一方を見つめていた。私が縄梯子《なわばしご》に捉まろうとして振り返った時、さよならを言おうとしたが、それも止《よ》して、もう一ぺんただうなずいて見せた。はしけが帰って行った。栄吉はさっき私がやったばかりの鳥打帽をしきりに振っていた。ずっと遠ざかってから踊子が白いものを振り始めた。

汽船が下田の海を出て伊豆半島の南端《なんたん》がうしろに消えて行くまで、私は欄干《らんかん》に凭《もた》れて沖の大島を一心に眺めていた。踊子に別れたのは遠い昔であるような気持だった。婆さんはどうしたかと船室を覗《のぞ》いてみると、もう人々が車座に取り囲んで、いろいろと慰《なぐさ》めているらしかった。私は安心して、その隣《とな》りの船室にはいった。相模灘《さがみなだ》は波が高かった。坐っていると、時々左右に倒《たお》れた。船員が小さい金だらいを配って廻った。私はカバンを枕《まくら》にして横たわった。頭が空っぽで時間というものを感じなかった。涙がぽろぽろカバンに流れた。頰《ほお》が冷たいのでカバンを裏返しにした程だった。私の横に少年が寝ていた。河津の工場主の息子で入学準備に東京へ行くのだったから、一高の制帽をかぶっている私に好意を感じたらしかった。少し話してから彼は言った。

「何か御不幸でもおありになったのですか」

「いいえ、今人に別れて来たんです」

私は非常に素直に言った。泣いているのを見られても平気だった。私は何も考えていなかった。ただ清々《すがすが》しい満足の中に静かに眠《ねむ》っているようだった。

海はいつの間に暮れたのかも知らずにいたが、網代《あじろ》や熱海には灯があった。肌《はだ》が寒く腹が空いた。少年が竹の皮包を開いてくれた。私はそれが人の物であることを忘れたかのように海苔巻《のりまき》のすしなぞを食った。そして少年の学生マントの中にもぐり込んだ。私はどんなに親切にされても、それを大変自然に受け入れられるような美しい空虚《くうきょ》な気持だった。明日の朝早く婆さんを上野駅へ連れて行って水戸まで切符《きっぷ》を買ってやるのも、至極《しごく》あたりまえのことだと思っていた。何もかもが一つに融《と》け合って感じられた。

船室の洋燈《ランプ》が消えてしまった。船に積んだ生魚と潮の匂《にお》いが強くなった。真暗ななかで少年の体温に温まりながら、私は涙を出委《でまか》せにしていた。頭が澄《す》んだ水になってしまっていて、それがぽろぽろ零《こぼ》れ、その後には何も残らないような甘《あま》い快さだった。

温泉宿

A　夏逝《ゆ》き

一

彼女等は獣のように、白い裸《はだか》で這《は》い廻《まわ》っていた。脂肪《しぼう》の円みで鈍《にぶ》い裸達——ほの暗い湯気の底に膝頭《ひざがしら》で這う胴《どう》は、ぬるぬる粘《ねば》っこい獣の姿だった。肩《かた》の肉だけが、野良《のら》仕事のように逞《たくま》しく動いている。そして、黒髪《くろかみ》の色の人間らしさが——全く高貴な悲しみの滴《したた》りのように、なんという鮮《あざや》かな人間らしさだ。

お滝は束子《たわし》を投げ出すと、木馬を飛ぶように高い窓をさっと躍《おど》り越《こ》え、いきなり溝《みぞ》に跨《またが》ってしゃがみ、流れに音を落しながら、

「秋だね」

「ほんとうに秋風だわ。秋口の避暑地《ひしょち》の寂《さび》しさったら船の出てしまった港のように……」と、湯殿《ゆどの》からお雪が艶《なま》めかしく、これも恋人《こいびと》づれの都会の女の口真似《くちまね》だった。

「生意気だよ、ちび」と、その腰《こし》をお芳《よし》が束子で打って、

「東京者は八月の初めから、秋だ、秋だ、と言っているのさ。山の中には年中秋風が吹《ふ》いてると思ってやがる」

「私があの、ねお芳さん、あのお嬢《じょう》さんなら、もっとうまいことを言うわ。縁遠《えんどお》い女のように、ってな」

「はばかりさま。私はこれでも、立派に三度もお嫁入《よめい》りをしたんだよ。お前さんらの年には、ちゃんとした亭主《ていしゅ》持ちだったからね」

「そんなら、どう。——秋口の避暑地の寂しさったら、三度出戻《でもど》りの女のように、ってのは」と言いながら、お雪は川原へ走り出した。

お滝は腰を伸《の》ばしたが、やはり小溝に跨ったまま、都会人の「秋」なるものを眺《なが》めていた。だが——古里の山脈が月に浮《うか》んでいるだけだ。彼女は町に出ても、湯の村のこの谷川の音を思い出したことはなかった。五月《いつつき》と遊んでいたことのない彼女の張り切った腹を、楢《なら》の葉《は》洩《も》れの月が縞馬《しまうま》のように染めていた。

お芳が窓へ首を出して、

「お滝さん、お前また悪い癖《くせ》だね、食器を洗う川だよ」

「下に鮎《あゆ》の生簀《いけす》*があるし、お米だって磨《と》ぐんじゃないか」

「流れちゃうさ」

「この馬女」

しかし、お滝は振《ふ》り向きもせずに、

「雪ちゃん泳げるの？」と、小娘《こむすめ》の手首を握《にぎ》って、川原の橋を渡《わた》ったが、裸のはにかみでお雪が腹をつぼめているのを見ると、首をどんと突《つ》き飛ばして、

「こらっ」

「足が痛いのよ。はだしだもの」

湯殿では——勿論《もちろん》、彼女等二人の悪口《あっこう》だった。二人の髪は目立って毛筋の太い豊かさだ。その濡《ぬ》れた黒々しさを、ほかの彼女等は日頃《ひごろ》から、二人の生れつきの色情の匂《にお》いと感じる。おまけに、二人は夏中一枚の敷蒲団《しきぶとん》で寝通《ねとお》した。それに、今夜は八月の貰《もら》い蓄《だ》めの分配があったのだ。

「あいつらはきっと、自分の貰いをお帳場へはごまかして渡してたんだよ。それがいい気味だって、今二人でこっそり話しに行ったのさ」

「それにどう、平《なら》しに分けたのが不服だって……」

「ショッキとは何だい」

実のところしかし、「平等の分配」の正義に対して、七人の彼女等は皆、それぞれに腹の虫がおさまらない思いだったのだ。自分の貰いが一番少なかったらしいと、自分でも認めている百姓《ひやくしよう》娘のお時までが——そうだ、彼女はただその弱身のために、湯槽《ゆぶね》の底からわざわざ首を上げて、

「あの人達はお里がちがうよ。肉屋の女中上りに、芸者屋の子守上りに——悪ずれしてるのはあたり前だわ」

お滝は、野菜の束のようにお雪を抱《だ》き上げて、橋向うの飛び石を渡っている。谷川の中の島へ橋を架《か》け、あずまやを建て、宿の庭になっているのだ。淵《ふち》の周りには、銀色の渡鳥の群が溺《おぼ》れるかのように、月光が乱れ立っていた。岩の白さが——向う岸の杉林の秋虫の声と一つになって、彼女の真裸に迫《せま》った。

湯船の掃除《そうじ》がすんだらしく、セメントに手桶《ておけ》を置く音が聞えて来た。お滝はあずまやの柱の傍《そば》に花火を見つけた。お雪が百日紅《さるすべり》の枝から、客の水着をおろして、足を突っ込《こ》んだ。

「ほら、こんなに——膝まであるわ」

「男のだよ」

残りの彼女等が寝間着で橋を渡って来た。——いつもなら、棒のように倒《たお》れて眠《ねむ》る彼女等だった。それが今夜は、毎晩二人ずつ交替《こうたい》でする湯殿の掃除まで、七人揃《そろ》った。金を握った彼女等は、欲望の祭の前夜のように——だぶだぶの水着を着て桃割髪《ももわれ》*のお雪を笑い、夏の男客のいろんな約束を思い出し、激しい空腹を感じ、客達のあらを毒々しく数え立て、そしてお滝は、

「お時さんやお谷さんは、明日きりね。お別れに花火を上げてやろうか」

花火は湿《しめ》っていた。

「雪ちゃん。湿った花火のように、だ。秋はさ」と、二度目には十五六本のマッチを荒《あら》っぽくすると、爆音で火玉が葉桜の梢《こずえ》を貫《つらぬ》いた。

一斉《いっせい》に叫《さけ》びながら見上げて、そして彼女等が見たものは——物干台に浴衣《ゆかた》がけの男がぶら下っているのだ。宿は谷川岸の傾斜《けいしゃ》に建っている。表の玄関《げんかん》と水平だが、裏の物干台は飛びつく高さだ。それにぶら下った男は、泳がせていた足をやっと丸木柱に巻きつけると、無器用に力んで這い上った。

「あら、鶴屋さんだ」

「あの人の病気も、ああなると凄《すご》いね」

彼女等が高々と笑うのを、お芳はしいっと手で抑《おさ》えて、

「廊下《ろうか》の戸に鍵《かぎ》をかけといたから、裏へ廻ったんだよ」

男は気ちがいのように雨戸を引っぱっていたが、やがて両手で持ち上げて外すと、その戸もろとも、どさりと女中部屋へ倒れ落ちた。その窓の中は真暗だ、お芳がぷいと橋の方へ走り出した。皆そそくさ立ち上った。水着を脱《ぬ》いでいるお雪に、

「ほっときな。皆財布《さいふ》を心配してんだよ」と、お滝はぐっと相手の肩を抱き倒して、

「花火はまだあるよ」

川上から曖昧宿《あいまいやど》*の女が二人、体を揺《ゆす》りながら岩を飛んで、宿の湯を盗《ぬす》みに来た。後から男達がついて来る。お滝は膝のお雪を落すように立ち上って、

「畜生《ちくしょう》。あの女を泣かしてやれ」

二

お滝の家の庭はコスモス畑——だが、その花畑に竹垣《たけがき》を結《あ》んで、鶏を飼っている。長い花茎《かけい》が乱雑に倒れて、土まみれだ。村の墓山から谷へ下りる段々畑の中の一軒屋《いっけんや》だ。だから日の光と風が豊かだ。裏から藁《わら》屋根へかぶさった竹林は、いつも小鰯《こいわし》の群が泳ぐように揺れているが、お滝も彼女の母も、その葉ずれの音を聞いたことはない。
お滝は十三四の時から、裸馬に乗って飛び出したものだ。葉がつやつやしい青の

山葵《わさび》を、背負《しょ》い枠《わく》一ぱいに負って、山から裸馬を走らせて来る彼女は、緑の朝風だった。

十五六の時から、正月と夏二月《ふたつき》、宿屋の女中の手が足りぬ時だけ、彼女は手伝いに来るようになった。彼女が湯殿で裸になると、湯の中の男客は皆、ふいと言葉少なになったものだ。美しく伸びた手足がもう娘盛《ざか》りに見えて、彼女は白い鉄だった。

お滝の腹と彼女の母の腹とは、二人の女のいろいろなものを現わしているが――母がだらしなくほうり出して眠っている、だぶだぶに脂肪のたるんだ腹の前に、娘はじっと坐《すわ》って見ていたが、口にたまって来た唾《つば》を、突然《とつぜん》ぺっと吐《は》きかけておいて、健《すこや》かに寝入った。このような母の腹は、父が彼女等を棄《す》ててから、急にお滝の目につき出したのだ。

彼女の父は同じ村の街道《かいどう》筋に、妾《めかけ》と住んでいる。道で出会った父が、

「おふくろはどうだい」

「とてもよく寝るよ」と、彼女はさっさと行き過ぎてしまう。

十六のお滝は、馬と母とを追い使って、百姓をしていた。田に水を引き入れて、いよいよ植えつけの前、横木に疎《まば》らな歯のある耒耜《すき》を、母が馬に挽《ひ》かせていた。田の畦《あぜ》でそれを見ていたお滝は、突然じゃばじゃばと水田に躍り込むと、母の頬《ほお》をいきなり

殴《なぐ》りつけて、

「馬鹿。耒耜が浮いちまってるじゃないか、耒耜が」

母は耒耜の柄《え》を握ったまま、よろけて行った。それを肘《ひじ》で突き飛ばして、耒耜を奪《うば》い取ると、

「よく見ときやがれ」

母は泥田《どろた》に片膝を突いて娘を見上げながら、隣《となり》の田の人々に、

「私ゃ今度は、恐《おそ》ろしい亭主を持ったよ。前の亭主の方がまだやさしかったよ」と、娘のように頰を染めた。

夜、お滝は母に背を向けて寝た。母はその背に顔を向けて寝た。

裸馬に跨った娘の後から、鋤鍬《すきくわ》を担《かつ》いだ母が、ちょこちょこ走りについて帰った。洗濯《せんたく》も煮《に》焚《た》きも母の仕事だった。母は娘にこき使われればこき使われる程《ほど》、亭主のことを忘れて行った。そして胸の鼓動《こどう》が乱れやすくなった。亭主のことを考えてぼんやりしていると、娘に殴られる。それで泣顔になると、娘は家を飛び出して行く。

「お待ちよ、お滝、そんな尻切《しりき》れ草履《ぞうり》見っともないよ」と、母は追い縋《すが》る。

そして、母はせっせと働き出した。母の眼が猫《ねこ》のように柔《やわら》かくなるにつれ、娘の瞳《ひとみ》は真黒な水澄《みずすまし》のように、きらきら流れやすくなった。

着物を着て宿屋の座敷に出ると、お滝は客の胸を押《お》しつけるように大きかったが、その生き生きと濡れた眼が、客を驚《おどろ》かせた。

宿屋で、十六の年の暮だった。お滝が一人で湯船を洗っているところへ、曖昧宿の女達が酔《よ》った客を三人連れて、裏から入って来た。

「お滝さん？――お湯を頂戴《ちょうだい》ね。あれ空っぽだわ」

「熱い方にたまってるよ」と、お滝は束子を握ったまま、湯殿の隅《すみ》に硬《かた》くなった。湯殿は床下《ゆかした》の石室《いしむろ》だ。大きい湯槽を板で三つに仕切ってある。第一の仕切りに溢《あふ》れた湯が、第二の仕切りへ落ちる。従って、湯の熱さが次々にゆるめられて行く。曖昧宿の女は、臭《くさ》い白粉《おしろい》を湯の中へざぶざぶ洗い落しながら、お滝の体について、二人でもう大声のおしゃべりだった。しかし男達は、生娘《きむすめ》の裸の余りにみずみずしい美しさに打たれて、暫《しばら》くは黙《だま》っていた。女達はお滝の体がもう立派な女であるか、女でないかを、露骨《ろこつ》な言葉で言い争っているのだ。その言葉を味っている男達の眼を、お滝は裸に感じた。女達は男のうしろに立膝《たてひざ》して、背中を流してやった。女の一人が、

「お滝さん、あんた一つあいてる背中を流して上げない？」

お滝はぐっと固いものを呑《の》み下す感じで立って行くと、男のうしろに膝を突いた。

彼等は山向うの銀山の鉱夫頭らしかった。その鉱石が匂《にお》う逞《たくま》しい肩《かた》を撫《な》でているうちに、お滝の手はぶるぶる顫《ふる》え出した。膝頭をきゅっと合せたが、首筋から走るような悪寒《おかん》を覚えた。あわてて湯に漬《つか》った。

二人の女は——素人《しろうと》女を甘《あま》く見た時の娼婦《しょうふ》の意地悪い誇《ほこ》りで、しきりと毒々しい言葉を、お滝に浴せて来た。お滝の眼は瞳をじっと吊《つ》り上げて、きらきら光っていた。

どてらを着ながら、一人の男がお滝の肩を軽く叩《たた》いて、

「娘さん、遊びに来ないか」

「うん」と、彼女が言ったと思うと、もうその肩をぐいと抱き寄せられていた。

川原は雪曇《ゆきぐも》りの夜空に、また木枯《こがらし》が鳴っていた。ネルの寝間着一枚のお滝は、湯上りの素足《すあし》が凍《こご》えた岩にぴたぴた吸いついた。足の裏からきりきり伝わる寒さで、腿《もも》が硬くなる度《たび》に、

「畜生。畜生」と、彼女は胸一ぱいに叫んだ。向う岸の杉山の雪が、霧《きり》のように降って来た。

初めのうち——お滝は顔を両の掌《て》に隠《かく》していたが、やがて右の親指を口に入れて、ぎりぎり噛《か》んだ。

起き上った時に見ると、歯形の傷から血が流れていた。彼女は右手を素早く懐《ふところ》に隠して、ふらふら立ち上ると、隣りの間との境の襖《ふすま》を、がらりと明けようとしたが——彼女は襖の向うに三人の女と客とが、息を殺しているのを知っていたのだ。——襖に手を掛けただけで、例の激しい、

「畜生。畜生」を胸に繰《く》り返しながら、今の男の顔も見ずに、曖昧宿の裏口から、谷沿いの小路《こみち》へ出て行った。

一町と行かぬうちに、彼女の後を一散に追って来る二人の男の足音が聞えた。それをうしろから女達が金切声で罵《ののし》っている。——彼女は勝ったのだ。お滝は倒れるように、川岸へ突っ伏《ぷ》して、冷たい水をごくごく飲んだ。はだしで飛んで来る男達の白い息を、彼女はちらりと眺《なが》めて、また水を飲んだ。

その夜、自分の家へ帰った彼女は、荒くれ男のような抱き方で、激しく母を抱いて寝た。

それから三四ヶ月して、もう春だが、或《あ》る夜お滝は、背丈《せたけ》の二倍もある崖《がけ》から街道へ飛び下りて、足首を挫《くじ》いた。町の病院へ入った翌日《あくるひ》に流産をした。十日ばかりで村へ帰ってみると、父が家へ来ていた。彼女は母を蹴《け》り倒し、父と組みつ転《まろ》びつの大喧嘩《おおげんか》をして、

「こんな穢《きたな》い、娘《むすめ》の留守に穢い、こんな穢い家に、誰《だれ》がいるもんか」と、その日の乗合自動車で、また町へ行って、肉屋の女中になった。

それがこの夏は、肉屋の暇《ひま》な七月の末から村へ帰って、宿屋の手伝いに来ているのだ。そして、二年前にあんなことがあったので、お滝は今むらむらと、曖昧宿の女達を嘲笑《あざわら》ってやりたくなったのだ。

三

湯気が籠《こも》らないように、湯殿《ゆどの》の裏口と窓とは、夏冬とも夜通し明け放して置く。その裏口から、曖昧宿の女達が客を連れて、谷川伝いに、温泉宿の内湯へ忍《しの》び込んで来るのは、よくあることであり——二年前の冬も今も同じだ。だがそれが、お滝にとっては、冬の裸《はだか》と夏の裸程の違《ちが》いがあった。

「なんだ、まだ湿った花火なんか握《にぎ》ってんのかい」と、お滝は板橋を渡《わた》りながらお雪に、

「二人でお湯に入って、あいつらの鼻をへし折ってやるんだ。——あんな女ら、雪ちゃんとは月とすっぽんさ。ほんとなのよ、雪ちゃん。ただ雪ちゃんの、綺麗《きれい》な顔を男に見せてやりゃ、あいつら泣き面《つら》さ」

「商売の邪魔《じやま》をしちゃ悪いわ」

「へん。さすが芸者屋の女中だ。男の水着とこれとはちがいますかね。だけど、私一人で沢山《たくさん》。先き帰って寝《ね》る？」

「部屋には鶴屋さんがいるわ」

鶴屋さんとは、このあたり一帯の小間物の卸屋《おろしや》である。月半ばと月末に、毎月二度ずつ、掛け取りに廻って来る。毬栗頭《いがぐりあたま》で、頰から頤《あご》一面に毬栗ひげで、毬栗色にくくり太っている。酔っ払《ぱら》うと、箸《はし》で茶碗《ちゃわん》や皿を気ちがいのように叩きながらあばれる。そして二三時間眠《ねむ》る。眼が覚めると必ず、それはあらゆる艱難《かんなん》辛苦を費《つい》やしても——物干台へ攀《よ》じ上るなぞも一例だが、とにかく女中部屋へ乗り込まないと眠らない。全く、乗り込むという言葉程に、それは大っぴらで、十年この方変りのない、月二度の吉例の愛嬌《あいきょう》に近かった。

しかし、お雪はまだ神経の新しい娘なのだ。

「あんな酔っ払いなんか、直ぐに白河夜船なんだよ」と、お滝に言われても、

「いいわ。川の湯で待ってるわ」

谷川の水際《みずぎわ》に、火の番小屋のように簡単な、白木造りの湯殿が、もう一つあって、彼女等は「川の湯」と呼ぶ。

お滝は内湯の裏口から、石段をとんとんと走り下りると、いきなり、「川にいたら、冷えちゃったわ」と、ざぶり湯の中に突《つ》っ立った。曖昧宿の女達は湯のとばしりを避けながら、

「今晩は」

「今晩は」

お滝が身を沈《しず》めると、温かい湯が音を立てて溢《あふ》れ出した。

「お湯をお借りしてるのよ」

「そう。――うちのお客さまかと思ってたわ」

客は二人とも学生らしかった。お滝が二人の前へ、大胆《だいたん》に突っ立った時に、彼等は温かい風で圧《おさ》えつけられたように感じて、湯を出ると、湯槽《ゆぶね》の縁に腰《こし》を掛《か》けて、うつ向いてしまった。

「ちょいとおことわりして借りりゃよかったけれど、もうお休みだと思ったの」

「いいさ。――私もお咲さんに借りたいものがあるわ」

お滝にことわりを言っているのは、胡瓜《きゆうり》という渾名《あだな》のある――胡瓜のように痩《や》せて、背がこころもち曲って、青ざめて、病気でよく寝る、子供好きのお清だった。近所の

赤ん坊の守《も》りをさせて貰《もら》ったり、幼児を三四人も共同湯で洗ってやったり、この子供いじりだけが、彼女の楽しみらしかった。そして村との約束――曖昧宿の女は土地の男を客に取らないという約束を、お清一人は厳しく守っていた。勿論《もちろん》渡り者だが、この村で体をこわした彼女は、この村で死ぬことを考えていた。可愛《かわい》がってやった子供達の群が、柩《ひつぎ》のうしろに長々と並んで野辺送りをする――その幻を、彼女は寝込む度に描くのだった。

だから、お滝にしても、お清に会えば、冬の薄日《うすび》のようなお清に直ぐ染まって、身の上話の一つもする間柄《あいだがら》だ。

しかし、もう一人の女は、お滝の方も見ずに、

「今晩は」とだけ言ったまま、眠ったように黙っている。睫毛《まつげ》の濃《こ》い影《かげ》が眼を隠してしまって、桃割髪《ももわれがみ》が油でぴちゃぴちゃに濡《ぬ》れたように、がくりと傾《かたむ》いている。肌白《はだじろ》い顔の平べったさは、ほのぼのと愚《おろ》かな眠り――その眠りの上で、くっきりつぼんだ脣《くちびる》と長い睫毛とが、別の生きもののように鮮《あざや》かに浮《う》き立っている。眉毛《まゆげ》は生毛《うぶげ》がぼうぼうと乱れたままだ。耳も、首筋も、手の指も、どこを一眼見ても、歯を立てて嚙みたくなる――その柔かい感じで、お滝は直ぐに、これがお咲だなと思ったのだった。

お咲は――この村に十人余りいる酌婦《しゃくふ》のうち、彼女だけが特別に風儀《ふうぎ》をみだすとい

うかどで、駐在所《ちゅうざいしょ》の巡査《じゅんさ》から度々、村退散を言い渡された女だ。村会議員の息子《むすこ》なぞが、しきりに通うからだ。生れつきの酌婦——余りに娼婦であり過ぎるからだ。

お滝の激しい目にじろじろ見られても、お咲はやはり、うっとり抱《だ》かれたような顔で、湯から胴《どう》を出して、湯槽の縁に腰を掛けた。真白な蛞蝓《なめくじ》のように、しとしと濡れた肌——骨というものがどこにも感じられない、一点のしみもない柔かな円さだ。蝸《か》牛類《ぎゅうるい》のように伸《の》び縮みしそうな脂肪《しぼう》で、這《は》う獣だ。その真白な腹の上で地団太踏《じだんだふ》みたい——お滝はそのような男じみた慾情《よくじょう》に、突然襲《とつぜんおそ》われて、お咲の膝にぐいと手を伸ばすと、

「手拭《てぬぐい》を貸してよ」

お咲は蛞蝓のようにきゅっと身を縮めて、胸で下腹を隠そうとしたが——手拭の蔽《おお》いを失ったところに、一面の小さい傷痕《きずあと》、その白い皮膚《ひふ》のひっつりが見えたのだ。

しかし、お咲の耳は透《す》き通りそうな真赤となり、その赤が乳房から腹まで、ほのぼのと染めて来た。人間ではないような、この美しい血の色を、お滝はむらむらする嫉《しっ》妬《と》と、たまらない快感とで眺めて、

「手拭もうっかり借りられやしない。毒が附いてそうね」

それから間もなく、お滝は川原の湯を覗《のぞ》き込みながら、
「雪ちゃん、綺麗なおとなしそうな学生さん二人だけれど――滝道の方へ遊びに行ってみない？」

お雪は湯槽の縁のセメントに、両腕《りょううで》で輪を描いて、その腕の上へ、湯の中からべたりと頰を載《の》せていた。
「おや、寝てんのね。そう、あんたはまあ――大事にしとくといいわ」

お滝が宿に帰ったのは、木の幹や川瀬なぞ白いものが、明け方の白さに浮び出した頃《ころ》だった。お雪はまだ川岸の湯槽に眠っていた。彼女の貞操《ていそう》道徳をしっかりと抱くかのように、やっぱり両腕で輪を描いて――。

四

お雪は「修身教科書」の殻《から》を、雛子《ひよこ》の尻《しり》の卵の殻のように可愛ゆく――また、蛇《へび》の体の抜殻《ぬけがら》のように憎々《にくにく》しく、彼女のどこかにくっつけていた。

都会近い海辺の温泉町で、芸者屋に奉公《ほうこう》していただけあって、同じ桃割にしても、首筋の生《は》え際《ぎわ》が、水際立って色っぽかった。雛妓《おしゃく》の早熟と海の娘《むすめ》の健康とが、一つになった小娘だった。頰《ほお》が林檎《りんご》のように紅《あか》く、線の鮮かな二重瞼《ふたえまぶた》のまん円い眼が、浮気

っぽく動いた。山里には珍《めずら》しい――その古い言葉を誰にも新しく感じさせた。

だからその温泉宿でも、いろんな男が、本気ともなくじょうだんともなく言い寄った。それを彼女は本気ともなくじょうだんともなく、鮮かに受け流した。また、そういう種類の出来事を、ほかの彼女等のように、一々仰々《ぎょうぎょう》しく吹聴《ふいちょう》するようなこともなかった。それでいて――或る学生が、

「雪ちゃんは、年の割にませてるんだね」と、口を辷《すべ》らせると、彼女はさっと顔色を変えて、

「馬鹿にしてるわ。書生のくせに生意気だわ。――人が芸者屋にいたからって」と、給仕の盆《ぼん》を投げ出して、ぷいと出て行ったまま、その学生が一月ばかり滞在《たいざい》の間、一度も口をきかなかった。

しかし、例えばお芳と二人で、当番の湯殿の掃除《そうじ》をしながら、わざと居眠りをする。束子《たわし》で叩《たた》き起されると、

「あんたの顔が三つに見えるわ。ね、先きに寝ちゃいけない？　あんたの床《とこ》を温めといてあげるからさ」

そうして、お雪は彼女等の全《すべ》てから、娼婦のように愛されて、けろけろ明るい顔なのだ。

「まあ、綺麗な前掛けだこと」と、女の客はお雪を見て驚《おどろ》くことがある。色花やかな小切れを、いつの間に、どこから集めたのか――それをすっかり三角形に揃《そろ》えて縫《ぬ》い合せ、お雪は美しい前掛けを作ったのだ。

彼女が初めてこの宿へ来たのは、夏の終り、宿屋で新しくどてらを縫う頃だった。二十枚ばかりのどてらが出来上る間に、お雪はそれと同じ柄の男の子の袷《あわせ》を一枚、仕上げていた。残り切れを継《つ》ぎ合せて作ったのだ。弟に送るのだと言う。

宿のおかみさんが、驚き混りに褒《ほ》めるのを聞いて、主人は、

「油断のならん奴《やつ》だ。あいつは用心しろ」

またお雪は、客の巻煙草《まきたばこ》の吸殻を拾い集めて、首から折ってしまって置く。それがたまると、新聞紙の上に煙草をほぐして、港町のおじいさんに送ってやる。

巻煙草の吸殻は――長い年月宿のおばあさんが、自分の手で煙草盆や台十能から、拾い集めていたものだ。やはり一々吸口をちぎり捨てて、大きい紙箱にためて置き、村の年寄が来た時に、おばあさんが出してやる。年寄達はそれを煙管《きせる》で吸いながら、長話をして行く。その吸殻を目あてに来るじいさんさえある程《ほど》だ。

しかし、宿のおばあさんはこの古い道楽を、お雪のためにぴたりと止《や》めてしまった。

お雪の母は——港町の酌婦上りの継母だが、五六日に一度ずつ、お雪の弟を連れて、厚化粧《あつげしょう》の顔をこの宿屋へ見せる。さんざん宿の人達の御機嫌《ごきげん》を取って、こっそりお雪に小遣《こづかい》をせびる。

お雪の父が日雇《ひやと》い人足として、出稼《でかせ》ぎに来ているのだ。隣《とな》り村で、百姓屋《ひゃくしょうや》の納屋《なや》に古畳《ふるだたみ》を入れて住んでいる。古里の港町——海辺の温泉町から温泉町へ通う、乗合自動車道の中程にある漁港には、おじいさんが一人残って、孫娘《まごむすめ》が送る煙草と山葵漬《わさびづけ》を待っている。

乗合自動車が小高い岬《みさき》を廻《まわ》ると、ふいに目の前が温まる色——海岸に続いた椿《つばき》の林が満開、蜜柑《みかん》の山が色づいて、その二つの間を真直ぐな道が入江へ下りて行く。港には漁船が三四十艘《そう》、綺麗に揃えて曳《ひ》き上げてある。木の間からは大きい瓦屋根《かわらやね》と土蔵の白壁《しらかべ》ばかりが見える。町の眺《なが》めの豊かさ——お雪のような貧しい一家が住んでいるとは信じられないのだ。そしてまた町税のない模範《もはん》部落なのだ。

その町で、お雪の母は彼女の弟を産む時に熱を出し、命は一時取り止めたが発狂《はっきょう》した。昼は父もおじいさんも働きに出た留守、お雪は母の発作の隙《すき》を覗《うかが》って、その乳房へそっと赤ん坊を抱いて行く。朝出がけに、父は母の手足を縛《しば》って行ってくれるのだが、彼女がその藁縄《わらなわ》を解いてやるのだ。母は四十日ばかりで死んだ。お雪は十で、尋常《じんじょう》三年だった。赤ん坊を背負って学校に通った。父達の食べ物や着物の世話も、一切《いっさい》彼女がした。野良犬《のらいぬ》を拾って飼い始めたことが、彼女の唯一《ゆいいつ》の贅沢《ぜいたく》だった。犬は——夜半に乳を貰いに歩く少女の後を、忠実について行った。「子守と並ぶのは厭《いや》だあ」と、お雪の隣りに坐《すわ》る子供は、教場で泣き出した。背中の赤ん坊が泣く度《たび》に、お雪は教場を出なければならない。十分の休みにもおしめを取り替《か》え、乳を貰いに行く。

それでいながら、彼女は首席で四年に進級して、学校中を驚かせた。進級式に、やはり赤ん坊を負ぶったまま、校長の前へ賞品を貰いに行く彼女を見て、子供の親達は泣いた。校長が県知事に表彰《ひょうしょう》を頼《たの》んでやったという噂《うわさ》は、お雪の耳にも入った。しかし、子供達は——全く子供達程子供の弱身に向って意地の悪いものはない。お雪は四年の夏休みから学校を止めてしまった。

とにかく、お雪は自分の手一つで、赤ん坊を三つまで育て上げた。継母が来た。しかし、洗濯《せんたく》も煮《に》焚《た》きも、お雪の仕事であることに変りはなかった。田の草取りをしている時、継母が子供を負ぶったお雪の髪《かみ》を摑《つか》んで、泥田《どろた》の中を引きずり廻す——そのようなことを、近所の人は毎日見た。

「これもこれもこれも——みんなその時分の傷痕《きずあと》なんですの」と、お雪は温泉宿の湯の中で、自分の腕や胸を指でつついて見せることがある。——それはまるで、自分の裸《はだか》を男に見させて、誘《さそ》い寄せる技巧《ぎこう》であるかのように、今は浮気っぽく笑いながらだが。

だがその時は、余りに可哀想《かわいそう》だというので、温泉町の伯母《おば》が引き取って行った。小学校長なぞの度々の催促《さいそく》で、県庁から表彰の通知が来た頃には、お雪は町の芸者屋にいた。父は山地へ出稼ぎに行っていた。

伯母の家は下で造花を売りながら、二階は芸者屋だった。

「芸者屋ったって、私は造花を拵《こしら》えたり、子守をしてただけなんですからね」と、彼女が湯の宿で言うのは、彼女の「修身教科書」らしい嘘《うそ》だ。彼女は芸者の三味線《しゃみせん》や着替えを持って歩く——下地っ子だったのだ。

そのために、県庁の表彰は沙汰止《さたや》みとなったが、彼女の頬は見る見る色づき、円い眼がじっとしていなくなり、直ぐ小走りに飛んで行ってはおしゃべりをする——首の肌が白い色情に濡れて来た。身内に暖い火がついた。

だが、客を取ることを強《し》いられそうな気配を感じると、さっさと伯母の家を出てしまったのは——「表彰の噂」をお雪が忘れないためかもしれなかった。

父の出稼ぎ先へ来てみると、継母は打って変って、お雪をちやほやした。

「もう私はどこへ行ったって、立派に一人で食べられるんだわ。気に食わない家になんか、誰《だれ》がいてやるものか」

これはお雪が、芸者屋でしっかりと植えつけられて来た自信――彼女は自分で気がつかないながら、継母の顔をまともに見返す眼の色一つにも、それが現われずにはいないのだ。母はそれに突《つ》きあたって一足退《ひ》いた。お雪は新しく武器を持った者の大胆《だいたん》さで、人生を軽蔑《けいべつ》し出した。彼女等の身の上としては、これは娼婦《しょうふ》への一歩だ。だが、小娘の「人生の軽蔑」は――結局、「玉の輿《こし》*」の夢と同じだった。世の中の上へ上へ――自分はその選ばれた娘だという誇《ほこ》りから、彼女は一層小賢《こざか》しげに、浮気っぽくなって行った。

そうして――川の湯で眠《ねむ》っているお雪にお滝が、

「そうね。まあ、あんたは――大事にしとくといいわ」と言った、そのものに、楽しい売値をつけて、大事にしていた。この「売値」と「修身教科書」とが、一つになった危っかしさは、彼女の小憎らしい魅力《みりょく》だった。

宿へ来た継母のお世辞に、お雪も巧《たく》みなお世辞で答えながら――母がお湯へ入ると、

忍《しの》び足で覗きに行く。そして、

「おかみさん、あんな女の言うこと信用しちゃだめですよ。相変らず弟をぶつとみえて、弟の体に紫色のみみず膨《ば》れが、五つも六つもありますよ」

男の客の甘《あま》い言葉からも、十六のお雪は、ちゃんとこの紫色のみみず膨れを看《み》て取るのだ。

五

二百十日は、炭焼きの煙《けむり》も見える晴れだった。赤とんぼが谷川一ぱいに飛んで来た。だが、二百十三日の嵐《あらし》は、電燈がついたと思うと消えた。明るいうちに雨戸をしめて、女中部屋に寝転《ねころ》がっている彼女等のところへ、番頭が雨合羽《あまがっぱ》のまま蠟燭《ろうそく》を持って来た。お滝はそれを受け取るなり、雨戸の節穴から外を見ているお時に、

「時ちゃん、何度も覗《のぞ》いてみなくったって、この雨に帰れないことはさ、よく分ったよだ。早く二十六番へ、蠟燭を持って行きな」

それで彼女等は一斉《いっせい》に手を叩いた。お時は渡《わた》された蠟燭の火をふっと消して、そこに坐ってしまった。

七人だった彼女等が、九月二日から四人になった。夏場だけ手伝いに来ていた娘達

が帰ったのだ。宿の主人の姪《めい》で、女学校を出て産婆学校へ入る準備をしている、近眼の高子、十四から十七までこの宿の女中をしていて、家が近くの、だから忙《いそが》しいといつも直ぐ手伝いに呼ばれる、宿の勝手をよく知って、おばあさんの気に入りの、そして宿の貰《もら》いで嫁入支度《よめいりじたく》を一式揃えたという、しっかり者のお谷、それから百姓娘のお時――お時は今朝から遊びに来ていて、嵐になったのだ。

大きい石のごとりごとりと流れる音が、彼女等の枕《まくら》もとに響《ひび》いた。真夜中に女中部屋の板戸をぎちりぎちり明けて、お時が出て行った。廊下《ろうか》でマッチをする音が聞えた。

お雪は爆発《ばくはつ》するように、

「わあっ、ばんざあい」と叫《さけ》びながら、お芳の腹の上をごろごろ転がって、壁際《かべぎわ》のお絹に抱《だ》きついた。

「くすぐったいよ、ちび。――みんな狸《たぬき》だったの？　人が悪いわ」

「察しがいいのさ。私がお時さんを戸の傍《そば》に寝かせてやったのさ」と、お芳が言うと、お雪は立てた膝《ひざ》を揺《ゆ》すって、まだ笑いながら、

「だってさ、あんなうぶな人、可哀想だわ」

「土地の人だから、雪ちゃん、黙《だま》ってらっしゃいよ。お嫁入りに差支《さしつか》えるわ」と、お絹のもっともらしい口調を、お滝が叩《たた》きつけるように、

「いいじゃないか、百姓をする差支えになるわけじゃなし。お前さんみたいに、お金貰わないだけでもましだよ」

「私が――私が、いつお金貰った?」と、お絹は暗がりを這《は》い寄って来て、お滝に摑《つか》みかかった。お滝はその両手を、ぐっと捻《ね》じ上げて、

「ふうん。それじゃお前さん、あれで、あの人に惚《ほ》れてたんかい」と、突き転ばした。

「燗《かん》ざましみたいな惚れ方は止《よ》しとくれよ」

お絹は東京の芸者町の髪結《かみゆい》に奉公《ほうこう》していたことがある。宿屋で働き蓄《た》めて、もう一度芸者町の髪結の内弟子《うちでし》になりたい――というのが、彼女の口癖《くちぐせ》だ。髪を芸者風に結っている。客がそれを認めてくれると、さも嬉《うれ》しそうに吹聴《ふいちょう》する。肌《はだ》が黒くて小柄《こがら》だ。

この夏、半月ばかり滞在《たいざい》した、神経衰弱《すいじゃく》の学生の部屋には、帳場から叱《しか》られようが、都会風の若い男客の座敷《ざしき》へは、人の受持ちを奪《うば》って出たがる。笑われようが、入りびたり通した。

このお絹と、お時と――彼女等と客との出来事は、客が毎日溢《あふ》れた夏を通じて、ただこの二つだけだった。彼女等のうちでも美しくない二人に、却《かえ》ってこのことがあったのだ。

お時の相手の男は、宿から宿へ襖を描いて廻る旅絵師だった。お時は眼の窪《くぼ》んだ、

鈍《にぶ》い百姓娘だが、湯殿《ゆどの》では色白の肌が別の姿のように美しい。

嵐の翌朝は、物干台に青い落葉だらけだった。川原の湯の湯船を、土砂が埋《う》めていた。赤土水が岩の上を紆《うね》って流れる川岸に、子供の群が並んで、てんでに手網《てあみ》を持ち、激しい水に酔《よ》った小魚を掬《すく》った。それを旅芸人の母子《おやこ》が見物していた。

岩から岩へ掛《か》け渡した板橋は、一つ残らず落ちた。もっとも、橋板の端《はし》に穴をあけて針金を通し、岸に結びつけてあるから、板は岸へ流れ寄っているのだ。

川の水が減っても、鮎《あゆ》の友釣《ともづ》りをする人の姿が見られなくなった。彼女等は測量技師の部屋に集まって遊んだ。旅絵師は客のない部屋の襖《ふすま》を描き出した。

その寂《さび》しい季節――村は賑《にぎや》かに騒《さわ》がしくなって、人々の高い話声が聞え出した。村一番の温泉宿に女中奉公していた村の娘達は、申し合せて暇《ひま》を取った。お滝等がいる、村で二番の温泉宿に村人が集まって、村一番の温泉宿の主人の古い噂を、今更《いまさら》のように数え立てた。

「あいつは、鉱山技師が採って来た鉱石を、うんと金《きん》の入ったやつとすり替えて、訴《うった》えられたことがあったじゃねえか」

「そうそう、あの裁判はどうなったたんだ。技師は首になったってんだが、あいつは手金の何万円かが取り徳なんて」

「そういうぺてんを幾《いく》らやったかしれねえ。――ほら、前は鹿狩《しかが》りで、大臣や偉《えら》い軍人が、ずいぶんあすこへ泊《とま》ったろう。その人等に字を書かせといて、あのじじいは字がうまいもんだから、自分で贋物《にせもの》を十枚も二十枚も書いて売ったってことだ。うちへ来た時書いて貰ったと言えば、誰でも信用するからな。それで一身代作ったたって話だ。こんな山ん中の温泉宿で、まっとうにやってりゃ、あんなにめきめき身代が太るはずがねえ。――こっちの宿がいい証拠《しょうこ》さ」

そして酒の勢で、

「あいつんとこの温泉を止めっちまえ」

「これから押《お》しかけろ。じじいを川原へ生け埋めだ」

つまり、この谷沿いの小路《こみち》が自動車道に拡《ひろ》がる。一番その利益を受けるのは温泉宿だ。にもかかわらず、村一番の温泉宿は、その割当ての寄附《きふ》を、きっぱりことわったのだ。

その宿へ警官が十人ばかり泊り込《こ》んで、毎日大弓を引いていた。彼等が弓に飽《あ》きる前に、村は静かになった。

お滝は暗い廊下の雨戸をしめながら、「きゃっ」と飛び上った。大きい青桐《あおぎり》の葉を踏《ふ》んだのだ。

彼女はなぜか町の肉屋へは帰ろうとしなかった。

おかみさんが七月《ななつき》の腹を抱《かか》えて、苦しそうに厠《かわや》の掃除《そうじ》をする――これだけは女中の手を借りない――その姿が、わけもなく侘《わび》しく見えた。

博奕打《ばくちうち》のような男が宿に滞在して、川上の空家の修繕《しゅうぜん》を毎日監督に行った。

朝鮮人の土工の一隊が移住して来た。

「ちょいと、ちょいと、鍋《なべ》も釜《かま》も――持って歩いてるわよ」と、お絹は女中部屋へ走って来た。

皺《しわ》だらけの白い袴《チマ》に、布の靴《くつ》を履《は》いた朝鮮の女達は、世帯道具の大きい風呂敷包を負って、背を円めながら歩いていた。

川下からダイナマイトの音が響き出した。

川上の古ぼけた空家が、小綺麗《こぎれい》な淫売《いんばい》宿になった。さすがの彼女等が驚いたのは――お絹がそこへ移って行ったことだ。彼女等は皆、博奕打のような男から、しつっこく誘われたのだったが――その時のうまい話の金高をまた思い出して、お絹を口ぎたなく罵《ののし》った。

B 秋深き

一

夏の客の置き忘れて行った扇《おうぎ》が十四五本——彼女等の部屋に拾い集めてあった。

お雪はその男持ちの扇を二つ、ぱらりと両手に開くと、踊《おど》る時の芸者のように、鹿《しか》爪《つめ》らしく口を結んで踊りはじめた。

「だってそうじゃないか。ここへ来なんだら、雪ちゃんは芸者になってたんだろう」

と、倉吉は古風な塗《ぬ》り箪笥《だんす》にもたれて、立て膝《ひざ》を抱《だ》いていた。

「そしたらおれなんかに、雪ちゃんの踊りは見られやしない」

「芸者になんか、ならないわ。私はただの、子守だったよ」と、お雪は歌の調子だった。それに倉吉までが、お雪の手振《てぶ》りを目で追いながら、裸《はだか》の股《もも》をぴたりぴたり叩《たた》いて、調子を取り出した。すると今度は彼女の方から、彼のでたらめな手拍子《てびょうし》に踊りを合せて来た。彼女は腓《こむら》のあたりが熱くなって、いよいよ裾《すそ》が乱れ出した。ふらふら踵《きびす》を返そうとして、積み重ねた座蒲団《ざぶとん》に腰《こし》を落し、そのまま箪笥に倒《たお》れかかった。

「と、こんな具合に、法界節になって流して行かない、倉さん？」

「法界節なんてお前……」

「とかなんとか……」と、お雪は右手の扇を倉吉の肩《かた》に投げつけて、

「私はね、芸者にだってなるのが厭《いや》で、逃《に》げて来たんだわ」

だから、お前のような渡《わた》り者は相手にしないよ、と言いたげに——だが、彼女の円い眼は人を侮《あなど》る時にも媚《こ》びを見せて、お雪はまた扇をかざして踊り出した。倉吉は薄《うす》笑《わら》いを見せながら、投げつけられた扇で股を叩いた。太った四十女のように、生白《なまっちろ》い肉が盛り上った足だ。それに脣《くちびる》が厚く、頰《ほお》が赤い。印半纏《しるしばんてん》が不似合だが、鈍《にぶ》い獣のような力を感じさせる肉つきだ。

三四年前から、夏と冬と、温泉場がいそがしくなる季節に、倉吉はどこからかふらりとこの宿に帰って来る。全く帰って来る——というのは、その頃《ころ》の宿屋の混雑の最中に姿を見せて、人手が足りないものだから、つい板場の手伝いをさせられたり、客の送り迎《むか》えを頼《たの》まれたりして、そのままいついてしまう。だから、その頃になると、「今年も倉さんがもう来てくれそうなものだ」と、宿の人々が彼を思い出す程《ほど》だ。

やはりそのいそがしい夏に、宿の縁続《えんつづ》きのお加代という娘《むすめ》が、手伝いに来ていたことがあった。秋の第一日から、もう明いた部屋が多くなる。倉吉は毎晩、お加代とい

っしょに雨戸をしめて歩いた。真夜中に二人で川原の湯へ行くことがあった。そうして宿屋を追われた彼であっても、正月に素知らん顔で舞《ま》い戻《もど》って来れば、うっかり誰《だれ》かが用を言いつけてしまうのだ。ところが春には、三月ぶりで町のすし屋から手紙をよこす。そこの女からうつされた病気の模様を、まるで天気の模様でも報《しら》せるような風に、十六の小娘のお雪へ書いて来るのだ。

そして、夏には彼女等の宿に帰り、この秋はお雪の後ばかりつけて歩いている。——彼女と一しょに雨戸をしめてくれる。湯殿《ゆどの》を洗ってくれる。客の寝床《ねどこ》を上げてくれる。彼女が芸者屋で見覚えた踊りの見物人になってくれる。

しかし、その踊り場へ、お滝が飛び込《こ》んで来て、

「おい、雪ちゃん、足もとに気をつけてね、畳《たたみ》を破かないように跳《は》ねとくれ。ちょいとばかしいたんでるよ」

「だって、倉さんが埃《ほこり》を吸いたいんでしょう。都会の気分を味わうんだって」

「そう、そう。きざな学生がいやがった。人に部屋の掃除《そうじ》をさせといて、じろじろ見てやがるから、どいて頂戴《ちょうだい》って言うと、たまには埃もいいってさ。山の空気は綺麗《きれい》過

ぎるから、これで都会の気分だってさ。そこへ雪ちゃんが、つつっと廊下《ろうか》を拭《ふ》いて来てね、この不良少女の言うことがよかったね。それじゃこのバケツの汚《きたな》い水は何の気分です、だってさ。——ねえ、倉さん、気持よさそうに、あんた雪ちゃんを見てて、何の気分を味わってるのさ」

「この人これで人をおだててるつもりなのよ。馬鹿らしい」と、お雪は残りの扇をまた倉吉の膝に、ぽいと投げた。

「この間から、雪ちゃんは踊りが出来るだろうって、十五遍《へん》くらい言ったわ」

「ねえ雪ちゃん、女は第一番目にこんな人にひっかかったら、一生の恥《はじ》だよ。十五番目くらいまで待って貰《もら》いな」

倉吉はやはり生白く笑いながら立ち上った。

「おい、おかみさんが物干を掃除しとけって言ってたぜ」

「物干?」と、お雪は障子を明けて見て、

「あら、あら、ひどい葉っぱ」

物干台には、黄ばんだ——というよりも青い落葉が一面だ。昨夜も秋風が荒《あ》れたのだ。

物干台は彼女等の部屋の窓にある。

彼女等の部屋の大箪笥――黒塗りに定紋《じょうもん》の桐《きり》を大きく浮《う》かせた、だが、鉄瓶《てつびん》の手のような鐶《かん》がもう赤錆《あかさ》びている、昔の百姓《ひゃくしょう》道具、それも洗濯物入れだ。客の浴衣《ゆかた》や敷《しき》布《ふ》をしまっておく。十畳《じょう》の部屋の隅々《すみずみ》にも、客の夜具や座布団《ざぶとん》が積み重ねてある。彼女等の風呂敷包は、布屑《ぬのくず》や空箱と一緒《いっしょ》に押《おし》入れに入り乱れている。毀《こわ》れた鏡台、石鹼《せっけん》の空箱の化粧《けしょう》箱、古三味《じゃみ》線《せん》、破れ蝙蝠傘《こうもりがさ》、箪笥の上と壁に打ちつけた棚《たな》とには、とにかく何かが盛り上っているが、持主も分らない。冬のどてらの裁縫《さいほう》がはじまって、糸屑とキャラメルの包み紙の散らばった古畳に、鋏《はさみ》が光っている。落葉を掃《は》いて、彼女等が物干台からその部屋へ飛び下りると、料理番の吾八が、そこにあぐらをかいて、左手の花札を右手で一枚一枚めくっていた。

「そんなもの、見向いてられやしないよ。いそがしいんだ」と、お滝は坐《すわ》って縫針《ぬいばり》を拾った。

「じゃないんだ。おれ暇《ひま》を取ったんだ」

「いよいよ店開きなの？」

「じゃないんだ。――そりゃあ、おれもしくじりはしくじりだったさ」

「しくじって――それじゃ追い出されたんだね？」

「でもないが、もうおれも厭になったんだ。——こんなことは言いたかあないが、これなんだよ」

と、吾八が腹掛《はらがけ》から投げ出したものを、お滝が拾い上げて、

「なんだ。鰹節《かつおぶし》のしっぽじゃないの?」

「それがね——今朝行李《こうり》を明けてみたんだよ。そうすると、新しいのがそいつとすり替えてあるんだ」

「ああ、吾八さんが鰹節を失敬しといたってわけね。——分ったわ。お芳の畜生《ちくしょう》だ。あの婆《ばば》あ、人の行李をあけてみるのが病気さ」

「お芳がね、それを見つけておばあさんのところへ持って行ったんだ。お芳の話だと、おばあさんはその時、鰹節をかいていたんだそうだが、これと入れ替えておきって、古いのを渡したんだそうだ。そうと聞くと、おれもじっといられやしない」

「だけど、それたった一本なの?」と、お雪がうしろから吾八の肩に両手をかけた。

「それでお帳場でも、お芳さんも、おれに黙ってるんだからね」

「そんなのつまらないわ。黙《だま》ってるなら、吾八さんだって知らん顔してればいいのだわ。だめよ」と、お雪は吾八の肩を揺《ゆ》すぶって、

「そんな気の弱いことで、世が渡れやしないわよ」

「なんだ、ちびのくせに。——吾八さんもまた、黙ってることなんかありゃしないよ」と、お滝は部屋を出て行ったが、お勝手にいたお芳の胸倉《むなぐら》を取って、廊下をずる曳《ひ》きずって来た。そして、吾八の前に、

「それっ」と投げ出したが、吾八がぼんやりしているものだから、またお芳を玄関《げんかん》まで曳きずり出して、両手で首をしめながらたたきへ抑《おさ》えつけ、

「畜生、畜生。出てうせろ」と、足袋跣足《たびはだし》でお芳の腹をぎゅうぎゅう踏《ふ》みつけた。お芳は寝返りを打っただけで、ものも言わなかった。

「おい」と、お滝を突《つ》き飛ばしたのは倉吉だった。お滝はよろめいて、大きい下駄箱《げたばこ》に倒れかかった。

「なにしやがんだ。手前ぐるだな。吾八さんの後釜《あとがま》を狙《ねら》ってんだな」

そして、倉吉の顔をじっと見ていたかと思うと、

「畜生」と、いきなりくっと頭を下げて、倉吉の胸に飛びかかりざま噛《か》みついた。

二

朝鮮人達に一週間程後《おく》れて、日本人の土工が入り込んだ。彼女等の宿の離《はな》れに、工夫監督《かんとく》が下宿をした。

隣《となり》の曖昧宿《あいまいやど》へも、町の兵隊相手だったという女が二人流れて来た。その代りに、お咲は川上の新しい家に引き抜《ぬ》かれて、彼女の売値は忽《たちま》ち三倍に上った。そして、お清は五日と経《た》たぬうちにまた床から起き上れなくなった。

お清の病気は直ぐ村人にも感じられた。曖昧宿の乳呑児《ちのみご》を背負い、四つの女の子の手を引き、谷から街道《かいどう》沿いの村へ登って行く――それがこの夏から、彼女の日課だったのだ。街道へ着くまでに、幼児が三四人彼女の裾に集まって来る。子供を連れた彼女の青白い細面《ほそおもて》と、清潔な銀杏返《いちょうがえ》し＊とは、出会う村人から先に声をかけさせる、寂《さび》しい温かさだった。よく病気で寝るにもかかわらず――もしかすると、よく寝るからかもしれないが、彼女はいつも後れ毛一筋なく髪《かみ》をなでつけている。恐《おそ》ろしく無口だ。それに子供がなつくのだから、子供と何の話をしているのかと、人々は不思議に思う。

その子供等のお蔭《かげ》で――曖昧宿の子供が彼女の枕《まくら》もとを離れないものだから、彼女は寝込んでも追い出されずにすんでいる。しかし、長年の生活の習わしで、男の群の入り込んで来たことが、風騒《さわ》ぐように感じられて、落ちついてはいられない。「道普請《ぶしん》の終るまでに殺されるだろう」とは思うものの、祭を待つ曲馬娘のような生き生きしさで、しかし一方、彼女の癖《くせ》の自分の葬式《そうしき》の幻《まぼろし》を描《えが》いている。――可愛《かわい》がってやった子供の群が、柩《ひつぎ》のうしろに長々と並んで、山の墓へ登って来る。

この山の湯にすっかり「土着」じみてしまったお清と、川上の新しい家の主人とは、いささか対照の妙《みよう》を極め過ぎていた。彼は土木工事のある土地から土地へ流れ歩いて、行く先き先きに、女の売店を営む男であるらしい。温泉宿の客がまだ浴衣がけの頃から、どてらを着ている。

昔の「人買い」を見るかのように、村の娘達は彼に道をよけるのだ。

しかし土工達は、温泉宿の二階を庭木越《ご》しに覗《のぞ》いて行くだけだった。ここはお上品で高過ぎるのだ。

旅絵師は襖《ふすま》をすっかり描き上げると、馬車で山を越えて行った。お時には黙って立って行くらしかった。馬車宿へ送って来たお滝達に、彼は笑いながら言った。

「僕に会いたくなったらな、襖をどしどし破くようにって、お時さんに言っとくれ」

宿に帰ると、彼とお時とのことなぞ忘れてしまったかのように、冬のどてらを縫いながら、彼女等が彼女等の部屋に落ちついている、客のない季節だった。客間に置き棄《す》てた古雑誌を捜《さが》し集めては来るが、読む者もいなかった。とりとめなく故郷と結婚《けっこん》とのことを思いながら、土曜から日曜にかけて、紅葉見の団体の来るまでは、山の秋の色も気がつかなかった。

吾八が出て行ってから四日も経つと、彼女等はもう彼の噂《うわさ》をしなくなった。村の魚屋が一度彼のために詫《わ》びを入れに来た。

「私の方からは別に、出てくれと言ったわけじゃなし……」と、おかみさんはひどく口ごもって、

「だけど、あの人もあんまりのんき過ぎるの。いそがしくててんてこ舞いの時だって、お客の部屋に坐り込んでるし、始終うちをあけるから、急場の間に合やしません。長くいて貰うと、お互《たがい》に遠慮《えんりょ》がなくなっていいようなものだけれど……」

全く、吾八はこの宿に八年で、五十に近い。前の半生は庖丁《ほうちょう》一つで、海岸線の町々を渡り歩いていたのだ。その間に、左の中指の爪《つめ》から先きを切り落し、女房《にょうぼう》を二三度持ったらしい。らしいというのは――この温泉場が彼に、過去を忘れさせてしまったからだ。つまり、ここにいるうちに、過去を語らなくなってしまったのだ。隠《かく》すわけではない。ただ、思い出すことに興味を失ってしまったのだ。

船着き場の渡り者だった過去には、勿論《もちろん》刃物の匂《にお》いがする。だが、この山へ来て、連れ子のある女を女房にした。そして、この子供を愛し出したのだ。そこで、知らず知らずのうちに、この土地が死場所という感じのうちに落ちついた。

それは、お清には葬式の空想となり、吾八には小料理屋を開く希望となった。しか

し、彼のそれはまことになまくらな――死ぬまでにはの気持だった。彼はそれ程《ほど》この宿に安心していたのだ。だから、ふらりと山芋《やまいも》を掘《ほ》りに行ったり、釣《つ》りに出かけたり、気随《きまま》に隣り村の自分の家へ帰ったり――いわば、老後の楽しみじみた奉公振《ほうこうぶ》りだった。彼に残っている昔の鋭さは、ただ宿一番の早起きだけだった。

彼は白木綿《もめん》のシャツと、印半纏《しるしばんてん》と、短い股引《ももひき》とで、年中押し通した。それ以上整った服装の必要なしに暮した。若い時の軍隊生活そのままの立派な姿勢で、大きい渋紙の案山子《かかし》のように色づいている。一合の晩酌《ばんしゃく》の後に、なじみの客の部屋へ話しに行くが、十分と経たぬうちに居眠《いねむ》ってしまう。

このような彼だから、鰹節一本でいたたまれなくなったのだ。

広い板敷きの料理場には、倉吉がかいがいしく――といっても、彼も吾八のように節太の百姓の指だ。女中等が一せいに倉吉を軽蔑《けいべつ》して寄りつかなかったのも、ほんの暫《しばら》くだ。やはり、彼のうしろにたかって、刺身の切り屑などを頬張《ほおば》るようになった。団体の立った朝なぞ、彼女等は膳《ぜん》に残った生卵を、客間の戸棚《とだな》に隠しておく。そして、廊下の拭き掃除の時に、そこの鉄瓶で茹《ゆ》でる。

また、長い滞在《たいざい》の客が好きになった場合、彼女等は客の膳の残り物を自分の膳に移して、食事をする。しかし、あくまで「彼」の膳の場合だ。女の膳の物は、本能的にか、見向きもしない。
「病気のない人ってことが分ってるし、穢《きたな》かないわ」と、彼女等の一人は彼女等に言いながら箸《はし》をつける。

しかも、この女らしい、そして家庭的な現われを、あくまで貫《つらぬ》くためであろうか。一人の男の残し物は、彼女等のうちの一人だけが食べ続けるのだった。これはいつからともない、彼女等の間の不文律だった。このようなことは、客には決して漏《も》らさない彼女等の秘密だが、膳の上でも浮気者は、やはりお絹だった。お絹が川上の家へ移ってからは、お雪だった。

ところが、工夫監督の膳に先き立って手を出したのは、こんなことは珍しいお滝だったのだ。つまり、彼のものになってもいいという、彼女等流の告白なのだ。

三

朝の庭掃除《そうじ》で、彼女等もいやおうなしに秋の深さを知る。小柄なお雪が高い竹箒《たけぼうき》を持てあましている姿は、なぜか初々《ういうい》しい、お嬢《じょう》さん風に見えた。

朝鮮人の女達の声の方へ、お雪は彼女の装飾《そうしょく》でもある箒を曳きずって行った。温泉宿の門前の空家を借りて、彼等が合宿しているのだ。襖や障子は一枚もなくなってしまった百姓家《ひゃくしょうや》だ。温泉宿の庭掃除の時間に、そこの女達は井戸端《いどばた》に白い袴《チマ》を膨《ふく》らませて、朝の食器を洗っている。それを眺《なが》めていたお雪がふと振り返ると、槙《まき》の古木の間から宿の離れの玄関が見えるのだが――彼女はばたりと竹箒を槙の木に倒《たお》して、ついと身を引いた。

お滝が離れの玄関にうずくまって、工夫監督の足に黄色いゲエトルを巻いてやっているのだ。彼女の白い首と桃割《ももわ》れが、玄関に腰《こし》かけた男の膝《ひざ》のあたりに、悲しい落し物のようだ。

「お滝さんが……」

お滝さんがどうなのかは、はっきりお雪の言葉にはならないのだけれども、とにかく、

「あのお滝さんが……」と、お雪は頬が寒くなって、ぼんやり裏庭へ歩いて行った。

小さい橋の欄干《らんかん》に両肘《りょうひじ》を突いて、ぶらぶら片足を振っていた。浅い流れの底まで、朝の日射《ひざ》しが透《す》き通っていた。じわじわ涙《なみだ》が流れ出した。お滝に対する言いようのない愛着が、胸一ぱいにこみ上げて来た。

彼女等の蒲団《ふとん》――掛蒲団と敷《しき》蒲団の区別がない、つまり敷きのように固い掛けなの

だが、その汚《よご》れたものを押入《おしい》れから引き出しながら、お滝はふと、

「今日も爆発《ばくはつ》を見て来たわ。あのハッパで岩の崩《くず》れる、その時の気味のよさったら」

お雪がぷっと吹《ふ》き出して、固い蒲団と一しょに倒れながら、

「あの煙硝《えんしょう》の匂いを嗅《か》がないと、眠れなくなっちゃったあ」

そして、両手で顔を抑えたまま突っ伏《ぷ》して、いつまでも気がちがったように笑っていた。

「おい」と、お滝は胸を反《そ》って立ちながら、お雪の背を片足でぐいぐい踏みつけて、

「そうだよ。それがどうしたのさ」

お雪はその足にも気がつかないかのように、肩《かた》を揺《ゆ》すぶって笑っていた。

「さあ、お湯の掃除、掃除。――お滝さん、あんたはまだおつとめがあるんだから、早くしないと、また眼が赤くなるよ」と、お芳がばたばた寝床《ねどこ》を敷いた。

彼女等が細帯一つで寝間着を抱《かか》え、湯殿《ゆどの》を洗いに下りて行く時間だ。

「いいよ、私がやっとくから、さっさとお休み」と、お滝は一人出て行って、女中部屋の板戸を荒々《あらあら》しくしめた。

お芳とお吉は直ぐに寝入った。湯殿から水音が聞えて来た。するとお雪は浴衣《ゆかた》の袖《そで》を合せて、寒そうに湯殿へ下りて行った。彼女はこの頃《ごろ》、子供のようにお滝の後ばか

り追っかけていた。

川原から、

「お滝さん、お滝さん」と呼ぶので、障子をあけると、お絹がしょんぼり立っていた。

お滝は物干台へ出て行った。

「なんだい」

「今日は」

「お入りよ」

「ええ、だけど」と、お絹は物干台へ近づいて見上げながら、

「皆さん、お変りありません」

「皆さんなんてしゃれた者はいないよ」

「私ね、お滝さんにちょいとお願いがあって来たの」

「お入りよ」

「私ね」と、小首をかしげて肩掛けをいじりながら、

「工夫さんに少し金を貸してあるのよ」

「ふうん」

「それがなかなか取れないのよ」

「いいじゃないの。金のない奴はただにしておやりよ」

「そんなんじゃないのよ」

「あんたの家が一番高いって噂《うわさ》だよ」

「それとちがうのよ。それはね、旦那《だんな》がしっかりしてるから、前金でなければ上げやしないわ」

「なに言ってやがんだい。金のない人はね、お滝さんの方へ廻《まわ》せって言ってたって、帰ってよろしく広告しといてね」

「私ね、ほんとうのお金を貸してるのよ」

「ほんとうのお金？」

「ええ、私ここに置いて貰《もら》ってたら、お金がたまらないから、あんな家へ行ったのだけれど、私だって長くこんなことをしてるつもりじゃないわ。来年はどうしても東京へ髪結《かみゆ》いを習いに行くつもりよ。少しでもその足しにしようと思って、工夫さん達にお金を貸してるのよ」

「へえ、驚《おどろ》いた。お前さんに借りた金で、お前さんを買いに来るってわけね。しかもそのお金に利子がついてか」

「だけど、返してくれない人が多いの。それでお滝さんから、監督《かんとく》さんに頼《たの》んでほしいのよ。そのお金を返すように言って貰いたいの。給料から差引くとか……」

「なに、なに言ってやがんだい。大した根性《こんじょう》だ」と、物干台から部屋へ飛び下りると、障子をぴしゃりとしめて、お滝は暫くぶりの高笑いをした。

それはまことに暫くぶりの高笑いだった。この頃のお滝は高笑いをするには、余りに寝不足だった。毎夜素足《すあし》を冷たくして、離《はな》れから長い廊下《ろうか》を帰って来るのだ。昼は眼が血走っていて、反《かえ》ってきりきり舞《ま》いに働き、激しい獣のようだ。廊下をそっと帰って来ても、彼女は彼女等の部屋の戸を静かにあけることが出来ない。

「お滝さん」と、お雪が艶《つや》っぽく呼ぶと、お滝はぎょっと立ちすくんだ。

「お滝さん」

お滝は黙《だま》って、浴衣の上の羽織を脱《ぬ》いだ。

「お滝さん。皆よく寝てるわ。私あんたの寝間を温めていてあげるのよ。さっき、お魚のおつゆが凍《こお》ってたわ」

「そう、ありがとう」と、お滝はいきなり冷え切った手を、お雪の胸に突《つ》っ込《こ》んで、

「あんた寂《さび》しいのね」

このような夜が暫く続いたが、とうとうお雪は倉吉の部屋で、宿のおばあさんに揺り起されてしまった。

彼女ははっと飛び起きて、きちんと坐《すわ》ると、礼儀《れいぎ》正しく両手を突いて、

「まことにどうも相すみません」

そして眼をこすりながら、彼女等の部屋へ走って帰った。

「おいで」と、お滝が寝床から起き上って、お雪を膝に抱《だ》き倒した。

「雪ちゃん。あんたはもう少うし利口だったはずじゃないの。――あんなに、あんなに大事にしていて、あんたそれで出世をするつもりだったのに、あんな倉吉の畜生《ちくしょう》。雪ちゃん、倉吉みたいな男一人にひっかかってちゃだめだよ。早く別の人をおこしらえ。誰《だれ》だって構やしない。ほんとだよ。一人に引っかかってたら、女の負けだよ。あんな男に負けたら、もうおしまいだよ。……厭《いや》だわ。泣くことなんか、泣くことなんかありゃしないわ。……平気なの？　え、平気なの？　平気ならいいけど、早く別の人をこしらえないと、雪ちゃんひどいことになるよ」

しかし、翌《あく》る日倉吉は暇《ひま》を出され、お雪はその後を追って家出をしてしまった。

半月ばかりして、どこからともなくお雪からお滝へ来た手紙に、

「――ああ、なつかしい山の湯よ。私は悲しい旅の空、昨日は東今日は西……」

この温泉宿にいた時、彼女が講談雑誌で読み覚えた美文にちがいない。

そして山へ来た風の便りには、男にあちらこちら引っぱり廻された挙句売られたとか。まことに風の便りである。

C　冬来《きた》り

一

水車の氷柱《つらら》が月に光っていた。凍《こお》りついた橋板は、馬の蹄《ひづめ》に金属のような音を立てた。山々の真黒な輪郭《りんかく》が鋭《するど》い刃物のように冷たい冬だった。

お咲は乗合馬車の中でたった一人、白い首巻にくるくる頬《ほお》を包んで、その上また、懐手《ふところで》の袂《たもと》で顔を隠《かく》していた。そして箱車の隅《すみ》っこに深くうつ向いていた。

停車場からこの温泉村まで四里だった。七時の汽車で、自動車も馬車も乗合はおしまいだ。終りの馬車の着く頃《ころ》には、長湯で真赤にゆだった村人が、提燈《ちょうちん》をつけて、谷間から登って来るくらいのものだ。月夜でも暗い木蔭《こかげ》があるのだ。街道《かいどう》の家はすっかり戸がしまっている。

しかし——お咲は馬車の奥《おく》からさっと飛び出すと、首を縮めて椿《つばき》の林へ一散に駈《か》け込《こ》んだ。その濃《こ》い葉蔭を竹林へ走った。そして懐から罎詰《びんづめ》の酒を出して、ラッパ飲みに流しこんだ。

「ああっ」と、楽しげな太息を漏《も》らしてから、足を裾《すそ》の中へ深く縮めると、首巻をしっかり巻き直して、両の袂で顔を押えながら、うつ伏《ぶ》せにごろりと転がった。

冬の竹林が——また、竹の枯葉《かれは》が積み重なっていれば尚《なお》温いことを、お咲は知っていたのだ。人絹《じんけん》の長襦袢《ながじゆばん》を二枚重ねているが、コオトはない。

男の足音が聞えたのは、二十分と待たないうちだった。

「おい、驚《おど》いたな、寝《ね》てんのかい」

そう言いながら腰《こし》をかがめた男の手を、お咲は彼女の肩《かた》から胸の下へぐいと引っぱった。男が倒《たお》れた。彼女はその手を摑《つか》んだまま、ごろりごろりと転がって、

「ああ、嬉《うれ》しい。どんなに会いたかったかしれないわ。ごろごろ温まっちゃうんだ」

「誰《だれ》にも見つかりゃしなかったかい」

「察してよ。ねえ、五つ向うの停車場よ。それから、馬車で二時間よ。ほれね、こんなに……」

と、足袋《たび》を脱《ぬ》いで、こぼれた月の光に足をさらしながら、

「真赤だわ」

そして彼女は両足を、でんと男の膝《ひざ》に載《の》せて、赤い指を揉《も》み出した。

「氷漬《づ》けの赤唐辛《あかとうがらし》みたいね」

男がその指を握《にぎ》ると――冷たい蛞蝓《なめくじ》のようにしとしとと彼の掌に粘《ねば》りついた、白い蝸牛類《かぎゅうるい》に似た肌《はだ》のお咲なのだ。男に足指を渡《わた》してしまうと、彼女はべたりと厚い脂肪《しぼう》のように倒れかかって来た。

「村湯へでも行って、温まろう」

「厭《いや》よ。遥々《はるばる》火の玉みたいに飛んで来たんだもの。火の玉みたいにしてくれなくちゃ」

男は向き直った。と、しかし彼女は、男の胸に両手を突っ張りながら反りかえって、

「いけないったら。私はなにもただで来たんじゃないわ。――それから、汽車賃も馬車賃もよ」

「やるよ、そんなもの。いつだってやるよ」

「だめよ。先きにくれなくちゃ、ほんとうの女になってあげないわよ」

男はふと谷川の音が寒々と耳についた。

お咲は町から恋人《こいびと》に会いに来たのではない。商売に来たのだ。

この村にいる酌婦《しやくふ》のうち、お咲だけが特別に風儀《ふうぎ》をみだすということは――村の有力者の間に、前々から纏《まと》まった意見であった。駐在所《ちゆうざいしよ》の巡査《じゆんさ》は彼等の意見に忠義立てをして、度々《たびたび》彼女に村退散を言い渡していたのだ。それが一月ばかり前、彼等の宴会《えんかい》の席で、息子達の不品行を嘆《なげ》き合った結果、いよいよ彼女は巡査に町へ送られて行ったのだった。お咲が生れつきの酌婦――余りに娼婦《しようふ》であり過ぎるからだ。

けれども、葉書一枚の呼び出しで、お咲はいつでも彼女の恋人達のところへ来るのだ。汽車と馬車と、それから人目を忍《しの》んで、夜の竹林に隠れて――それでも彼女は「遠出」の金がほしいのだ。もしかすると、金よりも、彼女は身を売ることに、不思議な情熱を感じて、十里の夜を渡って来るのかもしれない。伝説の女が海を泳いで、男に会いに行ったのと同じように……。

勿論《もちろん》お咲は町へ出ても、兵隊相手の店にいるのだ。肌白《はだじろ》い平べったい顔が、ほのぼのと愚《おろ》かに眠《ねむ》ったようで、彼女はいどこの変ったことなぞは、自分で気がつかないかのように暮している。男がいさえすれば、どこも同じようにいごこちがいい。――といった風の安らかさで、彼女は油でびちゃびちゃに毛を濡《ぬ》らして、髪《かみ》をきちんと結ぼうとも考えないらしい。

今も竹の葉が首にくっついているのに、払《はら》い落そうともしない。

男はお咲の着物から竹の葉を一枚一枚はがしながら、谷間へ下りて行った。川原の石伝いに、温泉宿の湯を盗《ぬす》みに行った。

お滝が一人湯槽《ゆぶね》の縁に腰《こし》をかけていたが、お咲を見ると、濡手拭《ぬれてぬぐい》でざぶりと眼を洗ってから男に、

「お前、昨夜隣《ゆうべとな》りのお清さんが死んだの、知ってんのかい」

「そんなこと聞いたな。——もうここじゃ寝てるだろうと思ったから、ことわらずにお湯を貰《もら》いに来たんだがね」と、男はきまり悪げに帯を解いた。

「今夜、お清さんのお通夜《つや》なんだよ。男ったら、意気地なしで、誰一人よう来やしない。馬鹿にしてるわ」

「御生前、お世話になりました者でって、まさか顔も出せないじゃないか。蔭ながら気の毒とは思ってるさ」

「可哀想《かわいそう》に、お前だって、お清さんの寿命《じゅみょう》を縮めた一人じゃないの?」

「道普請《ぶしん》の土方が入り込みさえしなけりゃ、よかったのさ。村じゃ子供が世話になる

からね、みんなお清さんをいたわってたさ」

「だって、寂《さび》しいお通夜をごらん。――それにお前、竹藪《たけやぶ》の中へよくお清さんの幽霊《ゆうれい》が出なかったね。そこの人はね、お湯へ入ることごめんだよ。うちのお湯は、きたない体の洗濯場《せんたくば》じゃありませんよ」

しかし、お咲は乳房までぽうっと赤く染めただけで、なんとも言わずにうなだれながら、生麩《なまふ》のように柔《やわら》かい足の裏で、湯殿《ゆどの》の石段を下りて来た。

二

お清も酌婦だから――そしてお咲は酌婦の手本であったから、考え方によっては、お清はお咲に殺されたとも言えるだろう。

十六七の頃から、こんな山深くへ流れて来て、直ぐに体をこわしたお清は、この村を死に場所と思いこむようになった。死のことを考えている小娘《こむすめ》を、男達は青白い影《かげ》を抱《だ》くように取り扱《あつか》った。にもかかわらず、彼女は度々毀《こわ》れた。そして暇《ひま》さえあれば村の幼児と遊んでいた。

土工の群が入り込んで、岩を崩《くず》す爆音《ばくおん》が聞えはじめた時に、彼女ははっきりと感じた。

「道普請の終るまでに、殺されるだろう」

果してお清は、五日と経《た》たぬうちに、また床《とこ》から起き上れなくなった。曖昧宿《あいまいやど》の四つの女の児《こ》と乳呑児《ちのみご》とが、彼女の枕《まくら》もとにつきっきりだから、追い出されずにすんだけれども、この村の酌婦の誰もが雇主《やといぬし》から聞かされる、

「お咲さんをごらん」という言葉は、彼女の寝床を取り巻いていた。それにその寝床は――漬物小屋の横の二畳《じょう》なのだが、客のために、そこさえ使わねばならないことがあった。

お清は無理に起き上って、自殺の覚悟《かくご》をした。いや、「自殺の覚悟」という言葉の響《ひび》きほど強いものではなく、あきらめであった。結果から見て、土工相手に働くことが、一つの自殺であるというに過ぎなかったのだ。彼女の味方である子供達には、彼女の死と土工達との関係が、まだよく分らなかったのだ。

お咲は湯から出ると、お清の死んだことも、お滝に辱《はずかし》められたことも、素知《そし》らん顔で、なにげなく男に、

「さようなら。ね、今度いつ呼んでくれる」

「じょうだんじゃないぜ。さようならって、この夜更《よふ》けにどこへ行くんだ」

「帰るわ。歩いて行ったら、夜明け前に停車場へ着くでしょう」

「四里だよ。山の中を」

「いいわ。夜と男がありがたいんだもの、こわいものなんかありゃしない。送ってくれって言わないわ。さようなら」と、だらしなく懐手して歩き出した。

「おい、いいじゃないか。あんまりあっさりするなよ。夜が明けてからにしろよ」

「見つかったらどうするのよ」と、彼女は後も振《ふ》り返らずに、月光が凍りついた街道へ上って行った。

男はぼんやりたたずんでいた。

しかし、お咲は男が見えなくなると、小走りに引き返して、谷川沿いの村湯の蔭に隠れた。なじみの男でまだ湯へ来るのがあるだろうと、身を縮めて待っていた。

麦の芽に霜《しも》の色が見えて来た。峰《みね》の空が明るんで、渡り鳥はどうしたものか、竹林へはとまらずに、その裾を流れて行った。竹林の中の焚火《たきび》を踏《ふ》み消していた第二の男は、突然《とつぜん》しゃがんで、

「おい、誰か来る」

お咲は肘枕《ひじまくら》から起き上りながら、

「ああ、分った。お清さんのお葬《とむら》いだわ」

「静かに」

葬いは段々畑を登って、竹林に近づいて来た。お咲はべたりと腹這《はらば》いになって、平べったい頬を両手で抱《かか》えながら、にやにや笑って眺《なが》めていた。

葬いは——と言っても、晒木綿《さらしもめん》をかぶせた棺を、二人の男が担《かつ》いで行くだけなのだ。多分、曖昧宿の主人と番頭であろう。棺の上に鍬《くわ》が二梃《ちょう》載せてある——それを飾りとでも言おうか。この村は土葬《どそう》なのだ。

だがしかし、子供達は一たいどうしたのだ。可愛《かわい》がってやった村の子供の群が、柩《ひつぎ》のうしろに長々と並んで、山の墓へ登って来る——この幻《まぼろし》はお清の生きる楽しみではなかったか。また、死ぬ楽しみではなかったか。

その子供達はまだ眠《ねむ》っているのだ。

お清は竹林の横を担がれて、墓山へ登って行った。

「あんまりひどいじゃないか」

「そうね」

「夜が明けないうちに、こっそり捨てようってんだ」

「私も夜が明けないうちに帰ろう。今から行けば途中《とちゆう》で、一番の馬車が追いついてくれるわね」

「おい、竹の葉っぱだけ払って行けよ」

「さようなら。ね、あんたも今度は葉書で呼んでよ」と、彼女は酒壜《さかびん》を拾って、力一ぱいに投げた。眼の前の竹の幹にあたって、ガラスのかけらが散った。

抒《じょ》情《じょう》歌《か》

死人にものいいかけるとは、なんという悲しい人間の習わしでありましょう。けれども、人間は死後の世界にまで、生前の世界の人間の姿で生きていなければならないということは、もっと悲しい人間の習わしと、私には思われてなりません。

植物の運命と人間の運命との似通いを感ずることが、すべての抒情詩《じょじょうし》の久遠《くおん》の題目である。——そう言った哲学者《てつがくしゃ》の名前さえ忘れ、そのあとさきへつづく文句も知らず、この言葉だけを覚えているのでありますから、植物とはただの開花落葉というだけの心なのか、もっと深い心がこめられているのか、私には分りませんけれども、仏法のいろいろな経文《きょうもん》をたぐいなくありがたい抒情詩と思います今日この頃《ごろ》の私は、こうして死人のあなたにものいいかけるにしても、あの世でもやはりこの世のあなたのお姿をしていらっしゃるあなたに向ってよりも、私の目の前の早咲きの蕾《つぼみ》を持つ紅梅に、あなたが生れかわっていらっしゃるというおとぎばなしをこしらえ、その床《とこ》の間の紅梅に向っての方が、どんなにうれしいかしれません。なにも目の前の名の知れた花でなくともよろしいのです。フランスのような遠い国の、名知らぬ山の、見知らぬ花に、あなたが生れかわっていらっしゃると思って、その花にものいいかけるにしてもおなじなのです。それほどまでに今もやはり私はあなたを愛しております。

こう言って、ふとほんとうに遠くの国を眺《なが》める思いをいたしてみますと、なんにも見えずに、この部屋の香《におい》がいたします。

この香は死んでいるわ。

そうつぶやいて私は笑い出してしまいました。

私は香水《こうすい》をつかったことのない娘《むすめ》でありました。

覚えていらっしゃいますか。もう四年前のある夜、風呂《ふろ》のなかで突然《とつぜん》はげしい香におそわれた私は、その香水の名は知らぬながらも、真裸でこのような強い香をかぐのは、たいへん恥《はず》かしいことだと思ううちに、目がくらんで気が遠くなったのでありました。それはちょうど、あなたが私を振《ふ》り棄《す》て、私に黙《だま》って結婚《けっこん》なされ、新婚旅行のはじめての夜のホテルの白い寝床《ねどこ》に、花嫁《はなよめ》の香水をお撒《ま》きになったのと、同じ時なのでありました。私はあなたが結婚なさるとは知りませんでしたけれども、後から思い合せてみますと、それは全く同じ時刻でありました。

あなたは新床《にいどこ》に香水を撒きながら、ふと私にお詫《わ》びをなすったのでしょうか。

この花嫁が私であったらと、ふとお思いになったのでありましょうか。

西洋の香水というものは強い現世の香がいたします。

今夜は私の古くからの友達が五六人宅へ見え、かるたを取りましたけれども、お正月といっても松の内を過ぎてかるた会には季節おくれのためか、もうめいめい夫や子のある私達の年がかるた会には少しばかり季節おくれのためか、お互《たが》いの吐《は》く息が部屋を重くするとお互いに分っておりますところへ、父が中国の香《こう》をたいてくれたのでありました。それは部屋を涼《すず》しくしてくれはしたものの、やはり皆がめいめい勝手な思い出に耽《ふけ》っているという風に、座はひきたたないのでありました。

思い出は美しいものと、私は信じております。

けれども、屋根の上に温室のある部屋で、四五十人もの女が集まり、いち時に思い出の競争をいたしましたなら、部屋から立ちのぼるはげしい悪臭《あくしゅう》のために、温室の花はみんな枯《か》れてしまうでありましょう。なにもその女達が醜《みにく》い行いをして来たからというのではありません。未来というものにくらべまして、過去というものは遥《はる》かになまなましく動物じみているからのことであります。

そんなけげんなことを考えながら、私は母のことを思い出しておりました。

私が神童と謳《うた》われましたはじまりは、かるた会なのでありました。

まだ四つか五つの頃で、私は片仮名も平仮名も一字も読めませんのに、母はなんと思いましてか、源平戦のたけなわに私の顔をふいと覗《のぞ》きこんで、分る? 竜枝ちゃん、そんなにいつもおとなしく見ていて。それから頭を撫《な》でながら、お仲間入りして取ってごらんなさい、竜枝ちゃんも、一枚ぐらい取れるわね。相手ががんぜない幼児《おさなご》ですもの、皆は出しかかった手をひっこめて、私一人をじっと見ます。お母ちゃん、これ？と、私はなにげなく、ほんとうになにげなく、母の膝《ひざ》の直ぐ前の一枚の取札を、その札より小さい手でおさえながら、母を見上げたのでありました。

まあ、とまっさきに驚《おどろ》いたのは母でありましたけれども、皆が母につづいて感嘆《かんたん》の声を揃《そろ》えますと、母は、まぐれあたりでございますわ、仮名も習っていない子供が。でも、そうなりますと、皆は客に来ている私の家へのお愛想といたしましても、もう勝負はそこのけのありさまで、読手までが、お嬢《じょう》さんようござんすかと、私一人のためにゆっくり三度も四度も繰《く》り返して読んでくれるのでありました。私はまた一枚の札を取りました。これもあたっておりました。そうして何枚取っても皆あたりましたけれども、歌を聞いても意味がちっとも分りませず、一首だって歌を諳《そら》んじているわけではないし、字も読めませんのですから、全くあたったというのがほんとうで、私はただなにげなく手を動かしながら、頭を撫でてくれる母の手に母の強い喜びを感じていただけでありました。

このことは直ぐたいへんな評判となりました。私の家へ招きました客達の前で、また母と私とが招かれて行きました家々で、幼い私はいくたびこの親子の愛のしるしの遊戯《ゆうぎ》を繰り返したことでありましたか。そうして私はかるた取りばかりでなく、もっと晴れがましい神童の奇蹟《きせき》をだんだん現わすようになったのでありました。自分で百人一首の歌を覚え、自分で取札の平仮名を読むようになっております今夜の私は、ただなにげなく手を動かしておりました神童の頃よりも、反《かえ》ってかるたを取るのがむずかしく、また下手になったようでもあります。

お母さん。けれども今の私は、あんなにまでして愛のあかしをお求めなすったお母さんが、反って西洋の香水のようにいとわしいと思われます。恋人《こいびと》のあなたが私をお棄てなすったのも、あなたと私との間に余りに愛のあかしばかりが満たされていたからでありましょう。

あなたと花嫁との新床の香水の香を、お二人のホテルとは遠く離《はな》れた風呂場で嗅《か》いでからというもの、私の魂《たましい》は一つの扉《とびら》をとざしてしまいました。あなたがおなくなりになってから、私はまだ一度もあなたのお姿をお見かけいたしません。

まだ一度もあなたのお声をお聞きいたしません。

私の天使の翼《つばさ》は折れてしまったのでありました。

なぜなら、あなたのいらっしゃる死の世界へ、私が飛んで行きたくないからでありました。

あなたのために棄てる命が惜《お》しいのではありません。死んで一茎の野菊《のぎく》にでも生れかわれるものなら、私は明日にもあなたの後を追いますでありましょう。

この香は死んでいるわ、とつぶやいて私が笑い出しましたのも、葬式《そうしき》とか法事とかのほかにはあまり中国風の香をかいだことのない私の習わしを笑ったのでありましたけれど、私はつい先頃手にした二つの本の香のおとぎばなしを思い出しました。

その一つは維摩経《ゆいまぎよう》*の衆香の国、さまざまの香をはなつさまざまの樹《き》の下に聖者達が坐《すわ》っていられまして、それぞれの香を嗅ぐことで真理をさとるという――一つの香から一つの真理を知り、そうして別の香からはまた別の真理を知るのであります。

物理学の本を素人《しろうと》が読みますと、香も音も色もただそれを感じる人間の感覚器官がちがっているだけでありまして、根はおんなじもののように思われます。科学者達は魂の力も電気や磁力とおんなじようなものであるという、まことしやかなおとぎばなしをつくります。

伝書鳩《ばと》を愛の使者につかった恋人がありました。男は旅におりました。男の行くさきざきの遠い土地から、鳩はどうして女のところに帰れるのでありましょう。それは鳩の足に結びつけました手紙のなかの愛の力と、その恋人達は信じておりました。幽《ゆう》霊《れい》を見た猫《ねこ》があります。いろいろな動物は人間の運命を人間よりも鋭《するど》く予知する場合がたくさんあります。私が子供の頃、猟《りょう》に行きました父が伊豆の山で見失ったイングリッシュ・ポインタアのことは、あなたにもいつかお話いたしましたと思います。ふらふらに痩《や》せさらぼうて、八日目に私どもの家へ帰ってまいりました。主人から与《あた》えられましたもののほかになにも食べない犬でありました。伊豆から東京まで、この犬はなにをたよりに歩いて来たのでありましょう。

人間がさまざまな香からさまざまな真理をさとるということも、ただ美しい象徴《しょうちょう》の歌とばかりは思われません。衆香の国の聖者達が香を心の糧《かて》となされましたように、レイモンドの語る霊の国の人達は色を心の糧といたしております。

陸軍少尉《しょうい》レイモンド・ロッジはサア・オリヴァ・ロッジ*の末の子でありました。一九一四年志願兵として入営、南ランカシア第二聯隊附《れんたいつき》となって出征《しゅっせい》、一九一五年九月十四日フウジ丘の攻撃《こうげき》の時に戦死いたしました。やがて彼は霊媒《ミディアム》のレナアド夫人やエイ・ヴィ・ピイタアズを通して、霊の国のありさまをいろいろことこまかに通信いたします。父のロッジ博士が、その霊界の消息を一冊の大きい本にまとめたのでありました。

レナアド夫人の宿霊《コントロオル》はフィイダと呼ぶインドの少女、ピイタアズの宿霊はムウンストオンと呼ぶイタリイの老隠者《いんじゃ》でありました。ですから霊媒はブロオクンな英語で話します。

霊の国の第三界に住んでおりますレイモンドが、ある時第五界へ行ってみますと、雪花石膏《アラバスタア》で出来ているかと思われます大きい殿堂《でんどう》がありました。

そのお堂は真白でいろんな色のともし火がたくさんともっていましたの。あるところは紅色のともし火で一ぱい、それから、……青い色の、そして真中はオレンジ色だったようですの。それが今言った言葉から思うようななまなましい色ではなく、ほんとうにやわらかい色合《いろあい》ですの。そうしてあの方は（フィイダがレイモンドのことをあの方というのです。）それらの色がどこから来るのかしらと眺めました。すると、たいへん広い窓がたくさんあって、それにそういう色のガラスが嵌《は》めてあるのでした。そして、お堂のなかの人達は紅ガラスを通って来るピンク色のところへ行って立ったり、青い光のなかへ立ったりしていますの。オレンジ色や黄色の光を浴びている者もありました。なんのためにみんながそんなことをしているのかしらと、あの方はお思いになったのですよ。そしたら誰《だれ》かが教えてくれましたの。ピンク色の光は愛の光、青色はほんとうに心を癒《いや》す光、それからオレンジは智慧《ちえ》の光。みんなめいめい自分の望む光のところへ行って立っているのですって。そして案内の人のいうには、これは地上の人達が知っているよりも、もっともっと大切なことですって。現世でもいずれそのうちに、いろいろの光の効果というものがもっと研究されるようになるでしょうって。

あなたは笑っていらっしゃいましょう。そのような光の効果で、私達は地上の愛の寝室《しんしつ》の色を飾《かざ》ったのでありました。精神病の医者も色に気をつけております。レイモンドの香のおとぎばなしも、やっぱり色のおとぎばなしのように幼いのであります。

地上の朽《く》ちた花の香は天上に立ち昇って、その香が地上とおんなじ花を天上に開かせるというのであります。霊の国の物質はみんな地上から立ち昇《のぼ》る香で出来るのであります。よく気をつけてみますと、地上で死んだもの、腐《くさ》ったものには、みんなそれぞれの香があります。その香が昇天《しょうてん》して、その香が香となる前の元のものがその香からつくられるのであります。アカシヤの香と竹の香とはちがいます。腐った麻《あさ》の香と腐ったラシャの香とはちがいます。

人間の霊も人魂《ひとだま》の火の玉のようにいち時に死《し》骸《がい》を飛び出しはいたしませず、香の糸のようにそろそろと死骸から立ち昇りまして、それが天上でひとところに纏《まと》まって、地上に残した肉体の写しを取るように、その人の霊の体をつくり上げます。ですから、あの世の人間の姿はこの世の人間の姿と、そっくりそのままであります。レイモンドも睫《まつげ》や指《し》紋《もん》まで生きていた時とちっとも変りませんばかりか、この世で虫歯だったところへ、あの世で綺麗《きれい》な歯が生えかわったりしております。

この世で盲目だったものは目が開き、びっこだった男は健《すこや》かな両足となり、この世と同じ馬や猫や小鳥もおりますし、煉瓦《れんが》建《だて》の家もありますし、もっとほほえましいのは、葉巻やウイスキイ・ソオダアまでが、地上からの香のエッセンスかエエテルのようなものでつくられるのであります。幼く死んだ子供は霊の世界へ行ってから生《お》い立ちます。小さいうちにこの世を去りあの世で大きくなったきょうだいに、レイモンドも会いますけれど、地上の世界のことをあまり知りませぬその霊的な姿の美しさは、殊《こと》に光で織った衣裳《いしょう》をつけ、手に百合《ゆり》を持ったリリイと呼ぶ少女の清らかさは、詩人の筆に歌われたらどんなであろうと思われます。

大詩人ダンテ*の神曲や大心霊学者スエエデンボルグ*の天国と地獄《じごく》にくらべますと、レイモンドの霊界通信はほんの赤んぼのかたことでありますけれど、それだけにまことしやかなおとぎばなしとしてほほえまれます。そしてまた私は、この長ったらしい記録のうちで、まことしやかな頁《ページ》よりも、おとぎばなしじみた頁が好きなのでありま す。ロッジだとて、霊媒《れいばい》の語るあの世のありさまを確かなものと信じているわけではありませず、ただ死んだ息子《むすこ》といろいろの話をしたという、つまり魂が不滅でありますことのあかしを立て、ヨオロッパの大戦争で愛する者を失いました幾《いく》十万の母や恋人にこの本を贈《おく》ったのでありました。ほんとうにまた、私が数知れず読みました霊界通信のうちで、レイモンドほど魂の永生を現実的に語った記録はありませんでした。あなたという人に死に別れて、この本に慰《なぐさ》められねばなりません私でありながら、そのなかから一つ二つのおとぎばなしだけをさがし出したりするのは、たいへん料簡《りようけん》ちがいでありましょうけれど。

でも、ダンテやスエデンボルグにいたしましても、いったい西洋人のあの世の幻《げん》想《そう》は、仏典の仏達の住む世界の幻想にくらべますと、なんと現実的で、そうして弱少で卑俗《ひぞく》なことでありましょう。東洋でも孔子なんかは、いまだ生を知らずいずくんぞ死を知らんやとあっさりかたづけてしまいましたけれども、仏教の経文の前世と来世との幻想曲をたぐいなくありがたい抒情詩《じよじようし》だと思う今日この頃《ごろ》の私であります。

レナアド夫人の宿霊のフィイダがインドの少女でありますなら、レイモンドが天上でキリストにお会いした時のおののく喜びを語りながら、どうして天上界に、釈迦牟《しやかむ》尼世尊《にせそん》のお姿をも見なかったのでありましょう。仏典の教えるあの世の豊かな幻想を、どうして語らなかったのでありましょう。

　レイモンドがクリスマスには一日じゅう地上の家へ帰っていますと言って、死とともに魂も滅《ほろ》んでしまうものと遺族達に考えられている霊達の寂《さび》しさを嘆《なげ》いていることから、私は思い出しました。あなたがおなくなりになってから、盂蘭盆会《うらぼんえ》*にあなたの精霊《しょうりょう》を、祀《まつ》ること在《おわ》すがごとくに、私がお迎《むか》え申したことは一度もありませんでした。

それをあなたもお寂しいとお思いになりますか。

目連《もくれん》尊者*のことを書いた仏説盂蘭盆経も、私は好きであります。道丕《どうひ》が読経《どきょう》の功徳《くどく》で父の髑髏《どくろ》を踊《おど》らせた話も、睒子経《せんじきょう》に出ています。釈迦牟尼世尊の前身の白象の話も私は好きであります。麻柯《おがら》の迎え火から燈籠《とうろう》流しの送り火までの精霊祭の形式も、美しいままごとだと思います。無縁仏のためにも川施餓鬼《かわせがき》*を忘れませず、針供養《はりくよう》のようなことまでする日本人であります。

　けれども、山城《やましろ》の瓜《うり》や茄子《なすび》をそのままに、手向《たむ》けとなれや加茂川の水、と歌った一休禅師*の精霊祭の心を、私はなにより美しいと思っております。

なんと大きな精霊祭じゃないか。今年出来た瓜も精霊なすびも精霊、加茂川の水も精霊、桃やありの実《み》*も精霊、死んだ亡者《もうじゃ》も精霊、生きている者も精霊、この精霊達が打ち寄って、無心無念の御対面、さてさてありがたやと思うばかり、ただ一体の精霊祭、即《すなわ》ちこれ一心法界の説法という。法界即ち一心なるゆえ、一心即ち法界、草木国土悉皆成仏《しっかいじょうぶつ》祭というものじゃ。

こんな風に松翁《しょうおう》*は一休の歌の心を解いております。

心地観経《しんじかんぎょう》には、一切《いっさい》の衆生《しゅじょう》は五道*を輪転し、百千劫《こう》*を経て、いくたびも生れかわり死にかわりするうちには、いつかどこかでお互いに父母となり合うのでありますから、世のなかの男子はことごとく慈父《じふ》でありますし、世のなかの女子はことごとく悲母でありますと説かれております。

悲母という言葉がつかってあります。

父は慈恩あり、母は悲恩ありとも書いてあります。

悲という字を、ただ悲しいと読むのは浅はかでありましょうけれど、仏法では母の恩の方が父の恩より重いとしてあります。

あなたは私の母がなくなった時のことをよく覚えていらっしゃいましょうね。

お母さんのことを思っているのかいと、あの時いきなりあなたに言われて、私はどんなにびっくりしたことでしょう。

雨がなにかにすうっと吸い取られるように晴れると、世のなかがからっぽになったような明るい初夏の日光でありました。窓の下の芝生《しばふ》から、いかにも新しそうな糸遊《かげろう》が立つうちに、もう西日でありました。私はあなたの膝《ひざ》に乗って、今線を書きなおしたようにはっきりいたしました西の雑木林を眺《なが》めておりましたところ、芝生のはしがぽうっと色づきますので夕日が糸遊にうつるのかと思いますと、そこを母が歩いてまいります。

私は親のゆるしなしに、あなたと住んでおりました。けれどもそういう恥《はず》かしさはありませず、おやと思って立ち上ろうとしますと、母はなにかものいいたげに左手で咽《のど》をおさえて、ふっと姿が消えてしまいました。

その拍子《ひょうし》に私はまた体の重みをすっかりあなたの膝に落しますと、あなたは、お母さんのことを考えているのかい。

まあ、ごらんになって、あなたも？

なにを。

お母さんが今そこへいらしたのよ。

どこへ。

そこです。

見やしない。お母さんがどうかしたのかね。

ええ、なくなったのですわ。娘のところへ死の報《しら》せにいらしたのですわ。

私は直ぐに父の家へ帰りました。母のなきがらはまだ病院から家へ着いてはおりませんでした。音信不通の私は母の病気のことをちっとも知らなかったのでありました。母は舌癌《ぜつがん》で死んだのでありました。それで私に咽のあたりをおさえて見せたのでありましょうか。

私が母の幻《まぼろし》を見ましたのと母が息をひきとりましたのとは、そっくり同じ時刻でありました。

この悲母のためにさえ、私は盂蘭盆会の祭壇《さいだん》を設けようとはいたしませんでした。まして巫女《みこ》の口寄せのようなことで、母からあの世の話を聞きたいとは思いません。雑木林の一本の若木を母と思い、その木に話しかける方が私にはこのもしいのであります。

釈迦は輪廻《りんね》*の絆《きずな》より解脱《げだつ》して涅槃《ねはん》*の不退転《ふたいてん》*に入れと、衆生に説いていられるのでありますから、転生《てんしょう》をくりかえしてゆかねばならぬ魂《たましい》はまだ迷える哀《あわ》れな魂なのでありましょうけれど、輪廻転生の教えほど豊かな夢を織りこんだおとぎばなしはこの世にないと私には思われます。人間がつくった一番美しい愛の抒情詩だと思われます。インドにはヴェダ経*の昔からこの信仰《しんこう》がありますから、もともと東方の心なのでしょうけれども、ギリシャ神話にも明るい花物語がありますし、ファウストのグレエトヘン*の牢屋《ろうや》の歌をはじめ、西方にも動物や植物への転生の伝説は星屑《ほしくず》よりも多いのであります。

昔の聖者達にいたしましても、近頃の心霊学者達にいたしましても、人間の霊魂のことを考えました人達は、たいてい人間の魂ばかりを尊んで、ほかの動物や植物をさげすんでおります。人間は何千年もかかって、人間と自然界の万物《ばんぶつ》とをいろいろな意味で区別しようとする方へばかり、盲滅法《めっぽう》に歩いて来たのであります。そのひとりよがりの空《むな》しい歩みが、今になって人間の魂をこんなに寂しくしたのではありませんでしょうか。

いつかまた人間は、もと来たこの道を逆にひきかえして行くようになるかもしれないのであります。

太古の民や未開民族の汎神論《はんしん》*と、あなたはお笑いになりますか。けれども科学者は物質を造るもとともいうべきものをこまかくたずねてゆけばゆくほど、そのものは万物の間を流転《るてん》すると知らねばならなくなったではありませんか。この世で形を失うものの香があの世の物質を形づくるというのも、科学思想の象徴《しょうちょう》の歌に過ぎません。物質のもとや力が不滅であるのに、智慧《ちえ》浅い若い女の私の半生でさえさとられずにいられませんでした魂の力だけが滅びると、なぜ考えなければならないのでありましょう。魂という言葉は天地万物を流れる力の一つの形容詞に過ぎないのではありますまいか。

霊魂が不滅であるという考え方は、生ける人間の生命への執着と死者への愛着とのあらわれでありましょうから、あの世の魂もこの世のその人の人格を持つと信じるのは、人情の悲しい幻の習わしでありましょうけれど、人間は生前のその人の姿形ばかりか、この世の愛や憎《にく》しみまでもあの世へ持ってゆきますし、生と死とに隔《へだ》てられても親子は親子ですし、あの世でも兄弟は兄弟として暮しますし、西洋の死霊はたいてい冥土《めいど》も現世の社会に似ていると語りますのを聞きまして、私は反《かえ》って人間のみ尊しの生の執着《しゅうちゃく》の習わしを寂しいことに思います。

白い幽霊世界の住人なんかになるよりも、私は死ねば一羽の白鳩《しろばと》か一茎のアネモネの花になりたいのであります。そう思う方が生きている時の心の愛がどんなに広々とのびやかなことでありましょう。

大昔のピタゴラスの一派なんかも、悪人の魂は来世でけだものや鳥の体内におしこめられて、苦しまねばならないと考えておりました。

十字架《じゅうじか》の血潮もまだ乾《かわ》き切らぬ三日目にイエス・キリストは昇天《しょうてん》なされまして、主の屍《しかばね》は消《う》え失せてしまいました。輝《かがや》ける衣服を着たる二人、その傍《かたわ》らに立てり。彼等懼《おそ》れて面《おもて》を地に伏《ふ》せければ、その人言いけるは、汝等《なんじら》何ぞ死にたる者の中に生きたるものを尋《たず》ぬるや、彼はここにあらず、甦《よみがえ》りたり。彼ガリラヤに居りし時、汝等に語りて人の子は必ず罪ある人の手に付《わた》され、十字架に釘《つ》けられ、第三日に甦るべしといいたりしを思い出《い》でよ。

この二人のような輝ける衣服を、レイモンドが天上でお見かけするイエス・キリストも身にまとうておられます。キリストばかりでなく、霊の国の人達はみんな光で織った衣裳をつけておりますが、その魂達はこれを自分の心でつくった衣裳、つまり地上で送った精神生活が死後の魂の衣《ころも》となると考えているそうであります。この霊の衣裳の話には、この世の倫理の教えがふくませてあります。仏教の来世と同じように、レイモンドの天国にも第七界までありまして、魂の修行にしたがってだんだんと高きに昇《のぼ》ってゆくのであります。

仏法の輪廻転生の説もこの世の倫理の象徴のようであります。前生《ぜんしょう》の鷹《たか》が今生《こんじょう》の人となるも、現世《げんぜ》の人が来世の蝶《ちょう》となるも仏となるも、みなこの世の行《おこない》の因果応報と教えてあります。

これはありがたい抒情詩のけがれであります。

古いエジプトの響《ひび》き高い抒情詩であります死者の書の転生の歌は、もっと素直でありますし、ギリシャ神話のイリスの虹《にじ》の衣裳は、もっと明るい光でありますし、アネモネの転生は、もっと朗《ほが》らかな喜びでありました。*

月だって星だって、それから動物や植物までが、みんな神さまと考えられて、その神さまというのがまた人間とちっともかわりない感情で泣いたり笑ったりするギリシャ神話は、裸で晴天の青草の上に踊るようにすこやかであります。

そこでは神さまがまるでかくれんぼをするようななにげなさで草花になってしまいます。森の美しいニンフのヘリデスは夫ではない若者の愛の目から隠れるために、雛《ひな》菊《ぎく》の花となってしまったのでありました。

ダフォンはみだらなアポロからのがれて乙女《おとめ》の純潔をまもるために、月桂樹《げっけいじゅ》となってしまったのでありました。

美しい少年のアドニスは彼の死を悲しむ恋人《こいびと》ヴィナスを慰《なぐさ》めるために福寿草《ふくじゅそう》の姿に生きかえり、美しい若者のヒヤシンスの死を嘆くアポロは愛人の姿をヒヤシンスの花にかえてやったのでありました。

してみれば私が床《とこ》の間の紅梅をあなたと思い、その花にものいいかけたとてよいではありませんか。

奇《き》なるかな、火中に蓮華《れんげ》を生じ、愛欲《あいよく》の中に正覚《しょうがく》を示す。＊あなたに棄《す》てられ、アネモネの花の心を知りました私は、ちょうどこの言葉の通りでありましたでしょうか。アネモネと呼ぶ美しい森の女神《めがみ》に風の神がいつしか思いこがれるようになりました。どうしてかこのことが風の神の恋人の花の神の耳に入ったものですから、花の神は嫉妬《しっと》のあまり、なんにも知らぬ清らかなアネモネを宮殿《きゅうでん》から追い出してしまったのでありました。アネモネは幾夜《いくよ》も野辺に泣き明してから、こんなことならいっそ草花にでもなってしまおう、この世があるかぎり美しい草花として生きよう、草花の素直《すなお》な心であめつちの恵《めぐ》みを受けよう、ふとそういうさとりが開けたのだそうであります。

哀れな女神でいるよりも、美しい草花になった方が、どんなに楽しいでしょうと思いつくと、女神の心ははじめてほのぼのと明るんだということです。

私をお棄てなされたあなたへの恨《うら》みと、あなたを奪いました綾子《あやこ》への妬《ねた》みとに、日毎《ごと》夜毎責めさいなまれました私は、哀れな女人でいるよりも、いっそアネモネの花のような草花になってしまった方がどんなにしあわせかと、幾度思ったことでありましたでしょう。

人間の涙《なみだ》というものはおかしなものであります。

おかしいといえば、私が今夜あなたにものいいかける言葉もおかしなことだらけのようですけれど、でも考えてみますと、私は幾千年もの間に幾千万の、また幾億の人間が夢みたり願ったりいたしましたことばかりを言っているのでありまして、私はちょうど人間の涙の一粒《つぶ》のような象徴抒情詩として、この世に生れた女かと思われます。あなたという恋人のある時、私の涙は夜の眠《ねむ》りに入る前に、私の頰《ほお》を流れたのでありました。

ところが、あなたという恋人を失った当座、私の涙は朝の目覚めに私の頰を流れていたのでありました。

あなたの傍《そば》に眠っていました時、あなたの夢をみたことはありませんでした。あなたとお別れいたしましてからは反《かえ》って毎夜のように、あなたに抱《だ》かれる夢をみたのでしたけれど、眠りながら私は泣いていたのでありました。そうして朝の目覚めが悲しいものになったのでありました。夜の寝入《ねい》りが涙のこぼれるばかりうれしいものでありましたあの頃《ころ》にひきかえてであります。

ものの香や色さえもが、精霊達の世界でさえも、心の糧《かて》となるというではありませんか。まして恋人の愛が女の心の泉となりましても、なんの不思議がありましょう。

あなたが私のものであった時、私は百貨店で買います一本の半襟《はんえり》にも、お勝手で庖《ほう》丁《ちょう》をあてます一尾の甘鯛《あまだい》にも、私はしあわせな女らしい愛の心を通わせることが出来たのでありました。

けれどもあなたを失ってからは、花の色、小鳥のさえずりも、私にはあじけなくむなしいものとなってしまったのでありました。天地万物と私の魂との通い路《じ》がふっつり断たれてしまったのでありました。私は失った恋人よりも失った愛の心を悲しみました。

そうして読みましたのが輪廻転生の抒情詩でありました。

その歌に教えられまして、私は禽獣《きんじゅう》草木のうちにあなたを見つけ、私を見つけ、まただんだんと天地万物をおおらかに愛する心をとりもどしたのでありました。

ですから私のさとりの抒情詩は、あまりに人間臭《くさ》い愛慾の悲しみの果てでありましょうか。

私はそんなにまであなたを愛しておりました。

あなたとお目にかかったばかりで、まだはっきりとは恋をうちあけなかった頃の習わしに従いまして、今も私は蕾《つぼみ》のふくらんだ紅梅を眺《なが》めながらじっと心を一つにこらして、私の魂がなにか目に見えぬ波か流れかのように、どこにいらっしゃるか知れない死人のあなたのところへ通《かよ》ってゆくようにと、激しく念じているのであります。

私が母の幻《まぼろし》を見ますれば、私がなにも言い出さない前に、お母さんがどうかしたのかいと、あなたは言って下さいました。そのように一つとなった二人ゆえ、どんな力も二人をひきはなすことの出来るはずはないと、もう安心して別れて、私が母の葬式《そうしき》にまいりました私達でありました。

父の家に残して来ました三面鏡の化粧卓《けしょうたく》で、私は別れてからはじめてあなたへおたよりをいたしました。

父は母の死に心折れて、私達の結婚《けっこん》をゆるしてくれましたの。そのしるしにか、黒の喪服《もふく》をととのえてくれまして、私はただ今悲しみの化粧をしながら、でもあなたといっしょになってからはじめての礼装の私は、少しやつれているけれど、ほんとうに美しいのよ。この鏡のなかの私をあなたに見せたいと思うの。それで、ちょっと隙《ひま》を盗《ぬす》んで手紙を書くの。黒も美しいけれど、私達のためにもっと色花やかな婚礼の衣裳《いしょう》をおねだりするわ。一日も早く帰りたいけれど、あんな風に家出した私ですもの、お詫《わ》びのいい折と思って、母の三十五日までこちらに辛抱《しんぼう》してるわ。綾子さんがいらしてるでしょう。お身のまわりのことは、あの方にお頼《たの》みなさいましね。弟は誰《だれ》よりも私の身方で、小さいくせに親戚《しんせき》の人達の手前、私をかばってくれたりするのがほんとうに可愛《かわい》いんですわ。この化粧卓も持って帰りますわ。

あなたのお手紙が着いたのはあくる日の夕方でありました。

お通夜《つや》やなんかで、いろいろ無理をしているだろうが、体に気をおつけ。こちらは綾子さんが来ていていろいろ世話をしてくれる。ミッション・スクウルのお友達のフランス娘《むすめ》の帰国土産《みやげ》に贈《おく》られたという化粧卓、家に残して来たもののうちで一番惜《お》しいと竜枝が言っていたそれは、もう抽出《ひきだ》しの煉白粉《ねりおしろい》なんかこちこちに固まってしまって、でもそっくりそのままだろう。その鏡にうつったお前の黒い衣裳の姿の美しさを、遠くの僕は目の前に見るような気がする。そして早く花やかな婚礼の衣裳を着せたいと思う。こちらで作ってもいいが、お父さんに甘《あま》えてねだった方が、きっと喜ばれるよ。相手の悲しみにつけこむようだけれど、お父さんは心が折れているから、結婚をゆるしてくれると僕は思う。竜枝が命の恩人の弟さんはどうしたい。

この私の手紙はあなたのお手紙の返事ではありませんでした。あなたのお手紙は私の手紙の返事ではありませんでした。

私達二人はおなじ時におなじことを両方から書いたのでありました。私達には珍《めずら》しいことではありませんでした。

これも私達の愛のあかしの一つでありました。私達がまだともに住まない頃からの二人の習わしでありました。

竜枝といっしょにいる間は不慮《ふりょ》の災難にあうことがないから安心だと、よくあなたはおっしゃいました。弟の溺死《できし》をあらかじめ私がふせいだ話をいたしました時にも、あなたはそうおっしゃいました。

夏の海岸の貸別荘《べっそう》の井戸端《いどばた》で、私は家族達の海水着を洗っておりますと、小さい弟の叫《さけ》び声と、波間に振《ふ》り上げた弟の片手と、船の帆《ほ》と、夕立の空と、荒《あ》れる波と、ふとそんなものを感じまして、びっくりして顔を上げるとよいお天気、でもあわてて家に飛びこむなり、お母さん弟がたいへんです。

母は血相かえて私の手をひきずりながら海岸へ駈《か》けつけました。弟はちょうどヨットに乗りこもうとするところでした。

私のお友達の女学生二人に八つになる弟、操縦士は高等学校の学生一人でありました。サンドイッチにメロンやアイスクリイムの器具まで積みこんで、浜つづきに二里ばかり先きの避暑地《ひしょち》へ、朝から船出しようとしているのでありました。

果してそのヨットは帰航の沖《おき》で強い風まじりの夕立にあい、帆の向きをかえようとするはずみに顚覆《てんぷく》したのでありました。

乗組員は三人とも、倒《たお》れた帆柱につかまって荒波にただよっておりますところへ、発動機船が救助におもむきましたから、少し海水を飲んだだけで、命に別状はありませんでしたけれども、もし幼い弟もそのなかにまじっておりましたなら、男は一人です。女学生達はあまり泳ぎが達者とはいえませぬし、どうなっていたやら分らないのでありました。

母が直ぐさま駈けつけたのは、私の魂《たましい》が未来を予知出来る力を信じていたからでありました。

かるた取りで私のほまれが高くなりました頃、小学校の校長がそういう神童は一度見たいというので、私は母につれられてそのお宅へうかがったことがありました。まだ小学校へあがる前でありましたし、やっと百まで数えられるだけで、アラビア数字も読めないのでありましたけれど、掛算《かけざん》や割算がたやすく出来たのでありました。応用問題の鶴亀算《つるかめざん》なんかも、直ぐに答えを出しました。私にはたわいなくやさしいことで、式も運算もしませず、ただなにげなく答えの数を口にするだけでありました。簡単な地理や歴史の問題にも答えることが出来ました。けれどもそういう神童の力は、母が傍についていてくれないと決して現われないのでありました。

おおげさに膝《ひざ》を叩《たた》いて感嘆する校長に、母は、うちでなにかものがなくなったりいたしましても、この子にたずねますと直ぐ見つかるのでございます。

そうですかと、校長は机の上の一冊の本を開いて母に見せながら、まさかこれが何頁《ページ》だかは嬢ちゃんにも分らないでしょう。私はまたなにげなく数字を言うと、それがその頁数と合っておりました。すると校長はその本を指でおさえて私を見ながら、ではこの行になんと書いてあります。

水晶《すいしょう》の数珠《じゅず》、藤の花。梅の花に雪が降っています。きれいな赤んぼが苺《いちご》を食べています。

いや、全く驚《おどろ》き入りました。千里眼の神童です。この本はなんという本ですか。

私はしばらく首をかしげながら、清少納言の枕草子《まくらのそうし》です。

梅の花に雪が降っていますと言いましたのと、きれいな赤んぼが苺を食べていますと言いましたのとは、梅の花に雪の降りたる、と、いみじう美しき乳児の苺食ひたる、とのまちがいでありましたけれど、その時の校長の驚きや母の誇《ほこ》りは私いまだにはっきりと覚えております。

その頃の私は掛算の九九が諳誦《あんしょう》出来ますようなことのほかにも、明日の天気や、飼犬の胎児《たいじ》の数と雌雄《しゆう》別や、その日の来客や、父の帰宅時間や、次の女中の容姿や、時にはよその病人の死期や、なににつけかににつけ予言をすることが私の好きな習わしでありましたし、またたいていはみごとに的中するのでありました。そうなりますとまわりの人がおだてあげるものですから、いくらか得意でいよいよ好きになったのでありましょうけれど、私は子供のあどけなさでそれらの予言の遊戯《ゆうぎ》に耽《ふけ》っていたのでありました。

この未来をあらかじめ知る力は、私が生《お》い立ちながら幼児のあどけなさを失うにつれて、だんだん私から去って行ったようでありました。子供の心に宿っていた天使が私を見棄てたのでありましたでしょうか。

私が娘となりました頃には、ただ気まぐれな稲妻《いなずま》のように私を訪れてまいるのでありました。

その気まぐれな天使も、あなたと綾子さんとの新床《にいどこ》の香水を私が嗅《か》いだ時に、翼《つばさ》が折れてしまったことは、さっきも言ったと思います。

まだ若い娘でありますの私の半生の手紙のうちで一番不思議なあの雪のたよりも、今は二度と書く力のありませぬなつかしい思い出となってしまったのであります。

東京は大雪でございましたわね。あなたのお宅の玄関《げんかん》では、プリンス・カラアのセパアドが緑色の犬舎《いぬごや》まで倒しそうに鎖《くさり》をひっぱって、けたたましく吠《ほ》えておりますわ、雪掻《ゆきか》きの男に。私にもあんなに吠えますなら、遥々《はるばる》お訪ねしてもとうてい御門へは入れませんわ。可哀想《かわいそう》に、雪掻きの男の背の赤ちゃんは泣き出してしまいましたわ。あなたは表に出て、おやさしく赤んぼをあやしていらっしゃいます。こんなみすぼらしい爺《じい》さんの赤ちゃんが、どうしてこうも生き生きと可愛いんだろうとお思いになりながら。でも、爺さんはそんなに年を取っておりませんのよ。ただ苦労のために老《ふ》けて見えますのよ。はじめは女中さんが雪掻きをいたしておりましたのね。そこへ乞食《こじき》のようなお爺さんがまいりまして、ぺこぺこ頭を下げながら、こんなよぼよぼの老いぼれが、おまけに子供を負ぶっていては、どこでも雪掻きさえさせてくれない、今朝から子供にお乳も飲ませていないのでございますから、どうぞお情に。どういたしましょうと、女中さんが応接間へ行きますと、あなたは蓄音機《ちくおんき》でショパンを聞いていらっしゃいます。お部屋の壁《かべ》は真白、古賀春江さんの油画と広重《ひろしげ》の木曾《きそ》の雪景色の版画とが向いあってかかっていて、壁かけのインド更紗《さらさ》の模様は極楽鳥、椅子《いす》のカヴァは白ですけれど、なかは緑がかった革《かわ》ですわ。やっぱり白い瓦斯《ガス》ストオヴの両端には、カンガルウのような装飾《そうしょく》がついていて、テエブルの上に開いた写真帳の頁は、イサドラ・ダンカン*のギリシャの古典舞踊《ぶよう》。一隅《ぐう》の飾《かざ》り棚《だな》には、クリスマスのカアネエションがそのまま、きっと美しい方の贈りものなので、お正月が過ぎてもお棄《す》てにならないのでございましょう。それから窓のカアテンは……あら、私は見たこともないあなたのお家の応接間を、いろいろ勝手に空想したりして。

ところが翌《あく》る日の新聞を見ますと、東京は大雪どころか暖い日曜の晴天とかで、私は大笑いしてしまいました。

この手紙に書きましたお部屋のありさまは、私が幻に見たのではありませんでした。夢に見たのでもありませんでした。おたよりを書いているうちに、ただなにげなく浮《う》かぶ言葉をつらねたに過ぎないのでありました。

でも、私があなたのものになる決心で家を棄てますと、汽車に乗っております間に東京は大雪となったのでありました。

けれども、私はあなたの応接間に入るまで、あんな雪の手紙のことはすっかり忘れておりました。

ところがそのお部屋を一目見ると、私達はまだ手を握《にぎ》り合ったこともない間柄《あいだがら》でしたのに、私はいきなりあなたの胸に身を投げこみまして、まあ、あなたはこんなに、こんなに、私を愛していらして下さいましたのね。

ええ、犬小屋は早速裏へまわしておきましたよ、竜枝さんのお手紙の着いた日に。

そうして、お部屋をそっくり私の手紙通りに飾って下さいましたのね。

なにをとぼけてるんです。部屋はずっと前からこの通りですよ。なに一つ手をさわりゃしません。

あら、ほんとう？　と私はいまさらのように部屋のありさまを見廻《みまわ》すのでした。竜枝さんが不思議がるのは不思議ですね。あの手紙を見た時に僕はどんなに驚いたでしょう。あの人はこんなにまで僕を愛していてくれてるのかと思いました。あなたの魂はなんども僕のところを訪れたことがあるので、この部屋をあんなによく知っているのだと信じました。それならば、こんなに魂が来ているのに、体だけが来ないという法はないと思って、僕は家を棄てても来いという手紙を書く自信と勇気とが生れたんですよ。あなたは私をまだ見ない前に私の夢を見たという、それほど運命に結ばれた二人じゃありませんか。

やっぱり私の心はあなたに通じていましたのね。

これも私達の愛のあかしの一つでありました。

翌る朝には、やはり私の手紙の通りの爺さんが雪掻きにまいりました。

大学の研究室からお帰りになるあなたを私は毎日迎《むか》えにまいりました。あなたのお帰りの時間はまちまちでありましたし、郊外《こうがい》の停車場から家へは、にぎやかな商店街と、寂《さび》しい雑木林沿いと、二つの道がありましたけれど、私達は道の半ばできっと出会ったのでありました。

私達は二つの口から始終同じ一つの言葉をぶっつけ合ったのでありました。

私はどこでなにをいたしておりましても、あなたが私をお求めの時に、呼ばれずとあなたのお傍《そば》へまいりました。

私はあなたが学校にいらしていて、夕餉《ゆうげ》に食べたいとお思いになったものを家でお料理いたしましたことも度々《たびたび》でありました。

私達の間には愛のあかしがあまりに満ち過ぎていたのでありましょうか。もう別れるよりほかしかたがないほどまでに。

ある時などは、綾子さんを玄関《げんかん》へ送り出しながら私はふと、今お帰しするのはなんだか心配だから、もう少し家にいて下さらない。十五分たたぬうちに、綾子さんはたくさん鼻血をお出しになりました。途中《とちゅう》だったらさぞお困りだったことでしょう。

これもあなたが綾子さんをお好きだと知っていたからのことでありましたでしょうか。

このように愛し合った私達でありながら、そうして二人の恋を予知した私でありながら、なぜ私はあなたと綾子さんとの結婚《けっこん》や、またあなたの死をさとることが出来なかったのでありましょう。

なぜあなたの魂はあなたの死を私に知らせて下さらなかったのでありましょう。

青い海の上に枝を伸《の》ばしている花ざかりの夾竹桃《きょうちくとう》、白い木の道しるべ、林の梢《こずえ》に見える湯の煙《けむり》、そういう海岸の小路《こみち》で、飛行服のようなものを着て革手袋をはめた、眉《まゆ》の濃《こ》い、笑う時に脣《くちびる》の左が少しあがる青年に行き会った夢を、私は見たのでありました。しばらくいっしょに歩くうちに、私の胸は恋心にふくらんで、夢は破れましたけれど、目覚めた私は飛行将校とでも結婚するのであろうかと思って、この夢を長いこと忘れずにいたのでありました。岸近くを走る汽船の第五緑丸という字まで、私ははっきり覚えておりました。

その夢から二三年も後に、夢とそっくりおなじ風景の小路であなたとお会いいたしました温泉場は、叔父《おじ》につれられまして、あの朝生れて初めて来たのでありますから、前に見たはずはないのでありました。

あなたは私を見ると、ほっと助かったという風に、そして一目で私に引きつけられたという風に、町へ出るにはどう行ったらいいでしょう。

私が真赤に染まった顔をふと海にそらしますと、ああ、船尾に第五緑丸とはっきり読める汽船が航海しておりました。

私は顫《ふる》えながら黙《だま》って歩きました。あなたはついていらして、町へお帰りですか。自転車屋か自動車屋を教えていただけませんか。突然《とつぜん》ぶしつけですが、実はオオトバイ旅行をやっているんですが、馬車に出あって、爆音《ばくおん》に驚いて馬があばれ出したもんですから、道を避《よ》けようとする拍子《ひょうし》に岩にぶっつかって、オオトバイがさんざんなんですよ。

二町と歩かないうちに私達はうちとけたのでありました。

私はあなたに前に一度お会いしたような気がいたしますわ、というようなことまで私は口にしてしまったのでありました。

僕はまた、なぜもっと早くにあなたにお会いしなかったかと思いますよ。つまり、あなたのおっしゃったのと同じ意味なんです。

それから、温泉町であなたの後姿をお見かけして私が心で呼びかけますたびに、あなたはどんなに遠くとも直ぐ振《ふ》り返って下さいました。

あなたといっしょに行くところはみんな、私は一度前に行ったことがあるような気がいたしました。

あなたといっしょにすることはみんな、一度前にしたことがあるような気がいたしました。

それだのに二人の間の心の糸がぷつりと切れましたように――ほんとうです、ピアノのB音を叩けばヴァイオリンのB音が答えます、音叉《おんさ》が共鳴します、魂の通じ合うのもちょうどそんな風でありましょうから、あなたの死の知らせさえ私にはありませんでしたのは、あなたか私かどちらかの魂の受信局に故障が出来たのでありましたでしょうか。

または、時間と空間とを越《こ》えて働きかける私の魂の力を、あなたと花嫁《はなよめ》との安らかさのために私自ら恐《おそ》れて、私の魂の扉をとざしたせいでありましたでしょうか。

アッシジの聖フランシス*をはじめといたしまして、十字架《じゅうじか》の主キリストを思う信心深い少女達の脇《わき》の下からは、槍《やり》でつかれたように血潮が流れ出しましたし、呪《のろ》いの一念から人を祈《いの》り殺した生霊死霊《いきりょうしりょう》の話を聞いたことのない人は一人もおりますまい。あなたの死を知りました時、私はぞっといたしまして、なおさら草花になりたいと思ったのでありました。

この世の魂とあの世の魂との熱烈《ねつれつ》な一団の霊《れい》の兵士達は、生と死とを隔《へだ》てる人の考えの習わしを滅《ほろ》ぼし、二つの間に橋を架け道を開き、死別の悲しみをこの世からなくなそうと戦っていると、心霊学者達は言っております。

けれども今日この頃の私は、霊の国からあなたの愛のあかしを聞きましたり、冥土《めいど》や来世であなたの恋人となりますより、あなたも私もが紅梅か夾竹桃の花となりまして、花粉をはこぶ胡蝶《こちょう》に結婚させてもらうことが、遥《はる》かに美しいと思われます。

そういたしますれば、悲しい人間の習わしにならって、こんな風に死人にものいいかけることもありますまいに。

禽《きん》獣《じゅう》

小鳥の鳴声に、彼の白日夢は破れた。芝居《しばい》の舞台で見る、重罪人を運ぶための唐丸籠《とうまるかご》、あれの二三倍も大きい鳥籠が、もう老朽《ろうきゅう》のトラックに乗っていた。葬《とむら》いの自動車の列の間へ、いつのまにか彼のタクシイは乗り入っていたらしい。うしろの自動車は、運転手の顔の前のガラスに「二十三」という番号札を貼《は》り付けていた。道端《みちばた》を振《ふ》り向くと、そこは「史蹟《しせき》太宰春台*墓」との石標が表にある、禅寺《ぜんでら》の前であった。その寺の門にも貼紙が出ていた。

「山門不幸、津送執行」

坂の途中《とちゅう》であった。坂の下は交通巡査《じゅんさ》の立っている十字路であった。そこへ一時に三十台ばかりの自動車が押《お》し寄せたので、なかなか整理がつかず、放鳥《ほうちょう》の籠を眺《なが》めながら、彼はいらいらして来た。花籠を大事そうに抱《だ》いて、彼の横にかしこまっている小女《こおんな》に、

「もう幾時《いくじ》かね」

しかし、小さい女中が時計を持っているわけはなかった。運転手が代りに、

「七時十分前、この時計は六七分おくれてるんですが」

初夏の夕方はまだ明るかった。花籠の薔薇《ばら》の匂《にお》いが強かった。禅寺の庭からなにか六月の木の花の悩《なや》ましい匂いが流れて来た。

「それじゃ間に合わん、急いでもらえないか」

「でも今、右側を通すだけ通して、それからでないと。――日比谷公会堂はなんでございますか」と、運転手は会の帰りの客でも拾おうと思ったのであろう。

「舞踊《ぶよう》会だ」

「はあ？――あれだけの鳥を放すのには、どれくらいかかるもんでしょうかね」

「いったい、途中で葬式《そうしき》に出会うなんて、縁起《えんぎ》が悪いんだろう」

翼《つばさ》の音が乱れて聞えた。トラックの動き出したはずみに、鳥共が騒《さわ》ぎ立ったのである。

「縁起がいいんですよ。これほどいいことはないって言うんですよ」

運転手は自分の言葉の表情を自動車で現わすかのように、右側へ辷《すべ》り出ると、勢いよく葬式を追い抜《ぬ》きはじめた。

「おかしいね。逆なんだね」と、彼は笑いながら、しかし、人間がそんな風に考え習わすようになったのは、当然であると思った。

千花子の踊《おどり》を見に行くのに、そんなことを気にするのからして、今はもうおかしいはずであった。縁起が悪いと言えば、道で葬式に会うことよりも、彼の家に動物の死《し》骸《がい》を置きっぱなしにしてある方が、縁起が悪いはずであった。

「帰ったらこんやこそ忘れんように、菊戴《きくいただき》を捨ててくれ。まだ二階の押入にあのままだろう」と、彼は吐き出すように小女に言った。

菊戴の番《つがい》が死んでから、もう一週間も経《た》つ。彼は死骸を籠から出すのも面倒臭《めんどうくさ》く、押入へほうりこんだままなのである。梯子段《はしごだん》を登って、突《つ》きあたりの押入である。客のある度《たび》に、その鳥籠の下の座蒲団《ざぶとん》を出し入れしながら、彼も女中も捨てることを怠《おこた》っているほど、もう小鳥の死骸にもなれてしまったのである。

菊戴は、日雀《ひがら》、小雀《こがら》、みそさざい、小瑠璃《こるり》、柄長《えなが》などと共に、最も小柄《こがら》な飼鳥である。上部は橄欖《オリーブ》緑色、下部は淡黄灰色、首も灰色がかって、翼に二条の白帯があり、風切《かざきり》の外弁の縁が黄色である。頭の頂に一つの黄色い線を囲んだ、太い黒線がある。毛を膨《ふく》らませた時に、その黄色い線がよく現われて、ちょうど黄菊の花弁を一ひら戴いたように見える。雄はこの黄色が濃《こ》い橙《だいだい》色を帯びている。円い目におどけた愛嬌《あいきょう》があり、喜ばしげに籠の天井《てんじょう》を這《は》い廻《まわ》ったりする動作も溌剌《はつらつ》としていて、まことに可《か》憐《れん》ながら、高雅《こうが》な気品がある。

小鳥屋が持って来たのは夜であったから、すぐ小暗い神棚《かみだな》に上げておいたが、ややあって見ると、小鳥はまことに美しい寝方《ねかた》をしていた。二羽の鳥は寄り添《そ》って、それぞれの首を相手の体の羽毛のなかに突っこみ合い、ちょうど一つの毛糸の鞠《まり》のように円くなっていた。一羽ずつを見分けることは出来なかった。

四十近い独身者の彼は、胸が幼なごころに温まるのを覚えて、食卓《しょくたく》の上に突っ立ったまま、長いこと神棚を見つめていた。

人間でも幼い初恋人《はつこいびと》ならば、こんなきれいな感じに眠《ねむ》っているのが、どこかの国に一組くらいはいてくれるだろうかと思った。この寝姿をいっしょに見る相手がほしくなったが、女中を呼びはしなかった。

そして翌日からは、飯を食う時も鳥籠を食卓に置いて、菊戴を眺めながらであった。相手がいったいに、彼は客に会うのにも、身辺から愛玩《あいがん》動物を放したことはなかった。相手の話はろくろく耳に入れないで、駒鳥《こまどり》の雛《ひな》に手を振りながら指で餌《え》を与《あた》えて、手振駒の訓練に夢中であったり、膝《ひざ》の上の柴犬の蚤《のみ》を根気よくつぶしたり、

「柴犬は運命論者じみたところがあって、僕《ぼく》は好きですよ。こうやって膝に載《の》せても、部屋の隅《すみ》に坐らせても、半日くらいじっとしていることがありますね」

そうして、客が立ち上るまで、相手の顔を見ようともしないことが多かった。

夏などは、客間のテエブルの上のガラス鉢《ばち》に、緋目高《ひめだか》や鯉《こい》の子を放して、

「僕は年のせいか、男と会うのがだんだんいやになって来てね。男っていやなもんだね。直ぐこっちが疲《つか》れる。飯を食うのも、旅行をするのも、相手はやっぱり女に限るね」

「結婚《けっこん》したらいいじゃないか」

「それもね、薄情《はくじょう》そうに見える女の方がいいんだから、だめだよ。こいつは薄情だなと思いながら、知らん顔でつきあってるのが、結局一番楽だね。女中もなるべく薄情そうなのを雇《やと》うことにしている」

「そういうんだから、動物を飼うんだろう」

「動物はなかなか薄情じゃない。——自分の傍《そば》にいつも、なにか生きて動いてるものがいてくれないと、寂《さび》しくてやりきれんからさ」

そんなことをうわの空で言いながら、彼はガラス鉢のなかの色とりどりの鯉の子が、その游泳《ゆうえい》につれて、鱗《うろこ》の光のいろいろに変るのをつくづく見ながら、こんな狭い水中にも、微妙《びみょう》な光の世界があると、客のことなど忘れてしまっているのだった。

鳥屋はなにか新しい鳥が手に入ると、黙って彼のところへ持って来る。彼の書斎《しょさい》の鳥が三十種にもなることがある。

「鳥屋さん、またですか」と、女中はいやがるが、

「いいじゃないか。これで四五日、僕の機嫌《きげん》がいいと思えば、こんな安いものありゃしない」

「でも、旦那《だんな》さまがあんまり真面目《まじめ》なお顔で、鳥ばかり見ていらっしゃいますと」

「薄《うす》気味悪いかね。きちがいにでもなりそうかね。家のなかがしんと寂しくなるかね」

しかし彼にしてみれば、新しい小鳥の来た二三日は、全く生活がみずみずしい思いに満たされるのであった。この天地のありがたさを感じるのであった。多分彼自身が悪いせいであろうが、人間からはなかなかそのようなものを受け取ることが出来ない。貝殻《かいがら》や草花の美しさよりも、小鳥は生きて動くだけに、造化の妙が早分りであった。籠の鳥となっても、小さい者達は生きる喜びをいっぱいに見せていた。

小柄で活潑《かっぱつ》な菊戴夫妻は、殊《こと》にそうであった。

ところが一月《ひとつき》ばかりして、餌を入れる時に、一羽が籠を飛び出した。女中があわてて、物置の上の楠《くすのき》へ逃《に》がしてしまった。楠の葉には朝の霜《しも》があった。二羽の鳥は内と外とで、高い声を張りあげて呼び合っていた。彼は直ぐ鳥籠を物置の屋根に載せ、黐《もち》竿《ざお》を置いた。いよいよ切なげに鳴きしきりながら、しかし、逃げた鳥は正午頃《ごろ》に遠く

へ飛び去ったらしかった。この菊戴は日光の山から来たものであった。

残ったのは雌《めす》であった。あんな風に寝ていたのにと、彼は小鳥屋へ雄《おす》をやかましく催促した。自分でも方々の小鳥屋を歩いたが、見つからなかった。やがて小鳥屋がまた一番《ひとつがい》、田舎《いなか》から取り寄せてくれた。彼は雄だけほしいと言ったけれども、

「番でいたんですからね。片端《かたわ》にして店に置いてもしようがないし、雌の方はただで差しあげときます」

「だけど、三羽で仲よく暮すかしら」

「いいでしょう。四五日籠を二つくっつけて並べとくと、お互《たが》いに馴《な》れますからね」

しかし、子供が新しいおもちゃをいじるような彼は、それが待てない。小鳥屋が帰ると直ぐ、新しい二羽を古い一羽の籠へ移してみた。思ったより以上の騒ぎであった。新しい二羽は止木《とまりぎ》に足もつかず、籠の端から端へばたばたと飛ぶ。古い菊戴は恐怖《きょうふ》の余り籠の底に立ちすくんでしまって、二羽の騒ぐのをおろおろ見上げている。二羽は危難に遭《あ》った夫婦のように、お互いを呼び交わす。三羽とも怯《おび》えた胸の鼓動《こどう》が荒《あら》い。押入へ入れてみると、夫婦は鳴きながら身を寄せたが、離婚《りこん》の雌は一羽離《はな》れて落ちつかない。

これではならぬと、籠を別にしたが、一方に夫婦を見ると、一方の雌が哀《あわ》れになる。

そこで、古い雌と新しい雄とを、一つの籠に入れてみた。新しい雄は離された女房《にょうぼう》と呼び合って、古い雌となじまなかったが、それでもいつのまにやら、身を寄せて眠った。翌《あく》る日の夕方は、籠を一つにしても、昨日ほどは騒がなかった。一羽の体に両方から頭を突っこみ、三羽で円くなって眠った。そして籠を枕《まくら》もとに置いて、彼も眠った。

けれども、次の朝目が覚めてみると、二羽が一つの温かい毛糸の鞠のように眠っている、その止木の下の籠の底に、一羽は半ば翼を開き、足を伸《の》ばし、細目をあけて、死んでいた。それを二羽に見せてはならないかのように、彼は死骸をそっと拾い出すと、女中に黙《だま》って、芥箱《ごみばこ》に捨てた。無慙《むざん》な殺しようをしたと思った。

「どちらが死んだのかしら」と、鳥籠をしげしげ見ていたが、予期とは逆に、生き残ったのは、どうやら古い雌であるらしかった。一昨日来た雌よりも、しばらく飼いなじんだ雌の方に愛着がある。その彼の慾目《よくめ》が、そう思わせたのかもしれなかった。家族なく暮している彼は、自分のそんな慾目を憎《にく》んだ。

「愛情の差別をつけるくらいならば、なんで動物と暮そうぞ。人間という結構なものがあるのに」

菊戴は大層弱くて、落鳥しやすいとされている。しかしその後、彼の二羽は健《すこ》やかであった。

密猟《みつりょう》の百舌《もず》の子供を手に入れたのを、先きがけとして、山から来るいろんな雛鳥の差餌《さしえ》のために、彼は外出も出来なくなる季節が近づいた。洗濯盥《せんたくだらい》を縁側に出して、小鳥に水浴をさせていると、そのなかへ藤の花が散って来た。

翼の水音を聞きながら、籠の糞《ふん》の掃除《そうじ》をしている時、塀《へい》の外に子供の騒ぎが聞え、なにか小さい動物の命を憂《うれ》えるらしい話模様なので、彼のところのワイア・ヘエア・フォックス・テリアの子供でも、中庭から迷い出たのではないかと、塀の上に伸び上ってみると、一羽の雲雀《ひばり》の子であった。まだ足もよく立たぬのが、芥捨場《ごみすてば》のなかを弱い翼で泳いでいる。育ててやろうと、彼はとっさに思って、

「どうしたの」

「お向うの家の人が……」と、一人の小学生は、桐《きり》の毒々しく青い家を指して、

「捨てたんだよ。死んでしまうね」

「うん、死んでしまう」と、彼は冷淡《れいたん》に塀を離れた。

その家には、三四羽も雲雀を飼っている。ゆくすえ鳴鳥《めいちょう》として見込《みこ》みのない雛を棄《す》てたのであろう。屑鳥《くずどり》など拾ってもしかたがないと、彼の仏心は忽《たちま》ち消えた。

雛の間は雌雄の分らぬ小鳥がある。小鳥屋はとにかく山から一つの巣の雛をそっく

り持って帰るが、雌と分り次第に捨ててしまう。鳴かぬ雌は売れぬのだ。動物を愛するということも、やがてはそのすぐれたものを求めるようになるのは当然であって、一方にこういう冷酷《れいこく》が根を張るのを避《さ》けがたい。彼はどんな愛玩《あいがん》動物でも見ればほしくなる性質だが、そういう浮気《うわき》心は結局薄情《はくじょう》に等しいことを経験で知り、また自分の生活の気持の堕落《だらく》が結果に来ると考えて、今ではもう、どんな名犬でも名鳥でも、他人の手で大人となったものは、たとい貰《もら》ってくれと頼《たの》まれたにしろ、飼おうとは思わぬのである。

だから人間はいやなんだと、孤独《こどく》な彼は勝手な考えをする。夫婦となり、親子兄弟となれば、つまらん相手でも、そうたやすく絆《きずな》は断《た》ち難《がた》く、あきらめて共に暮さねばならない。おまけに人それぞれの我《が》というやつを持っている。

それよりも、動物の生命や生態をおもちゃにして、一つの理想の鋳型《いがた》を目標と定め、人工的に、畸形《きけい》的に育てている方が、悲しい純潔であり、神のような爽《さわ》やかさがあると思うのだ。良種へ良種へと狂奔《きょうほん》する、動物 虐待《ぎゃくたい》的な愛護者達を、彼はこの天地の、また人間の悲劇的な象徴《しょうちょう》として、冷笑を浴びせながら許している。

去年の十一月の夕暮のこと、持病の腎臓病《じんぞうびょう》かなにかで、しなびた蜜柑《みかん》のようになった犬屋が、彼の家へ寄って、

「実は今、たいへんなことをいたしました。公園に入ってから曳綱《ひきづな》を放したんですが、この霧《きり》で暗かったんで、ほんのちょっと見えなくなったと思うと、もう野良犬《のらいぬ》がかかってるんです。直ぐ離して、畜生《ちくしょう》、腹を蹴《け》って、蹴って足腰《あしこし》の立たないような目にあわしときましたから、まさかとは思うんですが、反《かえ》ってこんなのは、皮肉なもんでさ、よくとまるんでして」

「だらしがない。商売人じゃないか」

「へえ、恥《はず》かしくて、人に話も出来やしません。畜生、あっという間に四五百円損をさせやがって」と、犬屋は黄色い脣《くちびる》を痙攣《けいれん》させていた。

あの精悍《せいかん》なドオベルマンが、しみったれた風に首をすくめ、怯えた目つきで腎臓病《や》みをちらちら見上げていた。霧が流れて来た。

その雌犬は、彼の世話で売れるはずになっていたのだった。とにかく、買手の家へ行って雑種を産んだりしては、彼の面目もつぶれるからと、彼が念を押《お》したにかかわらず、犬屋は金に困ったとみえて、しばらくしてから、彼には犬を見せないで売ってしまった。果して二三日後に、買手が彼のところへ犬を連れて来た。買った翌晩、死産したというのである。

「苦しそうな唸《うな》り声が聞えるんで、女中が雨戸をあけてみると、縁《えん》の下で産んだ子供を食ってるんだそうです。恐《おそ》ろしくてびっくりしてしまったし、まだ明け方だし、よくは分らないんですが、何匹《びき》産んだか、女中の見たのは、一番おしまいの子供を食ってるところらしいんです。直ぐに獣医《じゅうい》を呼ぶと、子供のいる犬を、犬屋が黙って売るはずがない、きっと野良犬かなにかがかかったんで、ひどく蹴るか殴《なぐ》るかして寄越《よこ》したんだろう。お産の様子が尋常じゃない。またもしかすると子供を食う癖の犬かもしれん。それなら返して来いって、家中で非常に憤慨《ふんがい》してるんです。そんなことをされた犬が可哀想《かわいそう》だって」

「どれ」と、無造作に犬を抱《だ》き上げて、乳房をいじりながら、

「これは子供を育て上げたことのある乳ですよ。今度は死産だから食ったんですよ」

と、彼は犬屋の不徳義に腹を立て、犬を哀れみながらも、無神経な顔で言った。

彼の家でも、雑種の産《うま》れたことはあったのである。

彼は旅に出ても、男の連れとは一部屋に眠れないくらいで、自分の家に男を泊《と》めることをいやがり、書生も置かないが、そういう男の鬱陶《うっとう》しさを嫌《きら》う気持とはかかわりなく、しかし、犬も雌ばかりを飼っていた。雄はよほど優秀《ゆうしゅう》なものでないと、種雄《たねおす》として通用しない。買入れに金がかかるし、活動役者のような宣伝もせねばならず、従って人気の盛衰《せいすい》があわただしい。輸入競争に捲《ま》きこまれるし、賭博《とばく》じみる。彼は或る

犬屋へ行って、種雄として名高い日本テリアを見せてもらったことがあった。二階の蒲団《ふとん》に一日中もぐりこんでいる。階下《した》へ抱いて下《おろ》されさえすれば、もう習わしで、雌が来たものと思うらしい。熟練した娼婦《しょうふ》のようなものである。毛が短いから、異常に発達した器官があらわに見えて、さすがの彼も目をそむけ、無気味な思いをしたほどであった。

しかし、そんなことにこだわって雄を飼わないわけではなく、犬の出産と育児が、彼にはなによりも楽しいからであった。

それは怪《あや》しげなボストン・テリアだった。塀の下を掘《ほ》るし、古い竹垣《たけがき》は食い破るし、交配期にはつないで置いたのだが、紐《ひも》を嚙《か》み切って出歩いたらしいので、雑種の産れることは分っていた。でも女中に呼び起されると、彼は医者のような目の覚まし方をして、

「鋏《はさみ》と脱脂綿《だっしめん》を出してくれ。それから、酒樽《さかだる》の縄を大急ぎで切って」

中庭の土は、初冬の朝日に染まったところだけが、淡《あわ》い新しさであった。その日のなかに、犬は横たわり、腹から茄子《なす》のような袋《ふくろ》が、頭を出しかかっていた。ほんの申訳に尻尾《しっぽ》を振《ふ》り、訴《うった》えるように見上げられると、突然《とつぜん》彼は道徳的な苛責《かしゃく》に似たものを感じた。

この犬は今度が初潮で、体がまだ十分女にはなっていなかった。従ってその眼差《まなざし》は、分娩《ぶんべん》というものの実感が分らぬげに見えた。

「自分の体には今いったい、なにごとが起っているのだろう。なんだか知らないが、困ったことのようだ。どうしたらいいのだろう」と、少しきまり悪そうにはにかみながら、しかし大変あどけなく人まかせで、自分のしていることに、なんの責任も感じていないらしい。

だから彼は、十年も前の千花子を思い出したのであった。その頃、彼女は彼に自分を売る時に、ちょうどこの犬のような顔をしたものだ。

「こんな商売をしてると、だんだん感じなくなるって、ほんとう?」

「そういうこともないじゃないが、また君が好きだと思う人に会えばね。それに、二人や三人のきまった人なら、商売とは言えないさ」

「私あなたはずいぶん好きなの」

「それでももうだめか」

「そんなことないわ」

「そうなのかね」

「お嫁入《よめい》りする時、分るわね」

「分るね」

「どんな風にしてればいいの」

「君はどうだったんだ」

「あなたの奥《おく》さんは、どんな風だったの」

「さあ」

「ねえ教えといてよ」

「女房なんかないよ」と、彼は不思議そうに、彼女の生真面目《きまじめ》な顔を見つめたものだった。

「あれと似ているので、気が咎《とが》めたのだ」と、彼は犬を抱き上げて、産箱に移してやった。

直ぐに袋児《ふくろご》を産んだが、母犬は扱《あつか》いを知らぬらしい。彼は鋏で袋を裂《さ》いて、臍《へそ》の緒《お》を切った。次の袋は大きく、青く濁《にご》った水のなかに、二つの胎児《たいじ》が死の色に見えた。彼は手早く新聞紙に包んでしまった。続いて三頭産れた。みな袋児であった。そして七番目の、これが最後の子供は、袋のなかでうごめきはしたが、しなびていた。彼はちょっと眺《なが》めてから、袋のままさっさと新聞紙にくるむと、

「どこかへ捨てといてくれ。西洋では、産れた子供をまびく、出来の悪い子供は殺し

てしまう。その方が、いい犬を作ることになるんだが、人情家の日本人には、それが出来ない。――親犬には、生卵でも飲ましといてくれ」

そして手を洗うと、また寝床《ねどこ》へもぐりこんでしまった。新しい命の誕生という、みずみずしい喜びが胸にあふれて、街を歩き廻《まわ》りたいようであった。一頭の子を自分が殺したことなどは忘れていた。

ところが、薄目《うすめ》を開く頃《ころ》の或る朝、子犬が一頭死んでいた。彼はつまみ出して懐《ふところ》に入れると、朝の散歩のついでに捨てて来た。二三日後に、また一頭冷たくなっていた。母犬が寝場所を作るために、藁《わら》を掻《か》き廻す。子犬がその藁に埋《う》もれる。自分で藁を掻き分けて出るほどの力が、子犬にはまだない。母犬は子供を銜《くわ》え出してやらぬ。それどころか、子犬の下敷《したじ》きになった藁の上へ自分が寝る。子犬は夜の間に、圧死したり、凍死《とうし》したりする。子供を乳房で窒息《ちっそく》させる、人間の愚《おろ》かな母と同じである。

「また死んでるよ」と、三頭目の死骸《しがい》も無造作に懐へ入れながら、口笛吹《ふ》いて犬共を呼び集め、近くの公園へ行ったが、子供を殺したのも知らぬ顔に、嬉《き》々《き》と駈《か》け廻るボストン・テリアを見ると、ふいとまた千花子を思い出した。

千花子は十九の時、投機師に連れられて、ハルビンへ行き、そこで三年ばかり、白系ロシア人に舞《ぶ》踊《よう》を習った。男はすることとなすことに躓《つまず》いて、生活力を失ってしまったらしく、満洲巡業《じゅんぎょう》の音楽団に千花子を加えて、ようやく二人で内地へ辿《たど》り着いたが、東京に落ちつくと間もなく、千花子は投機師を振り棄てて、満洲から同行の伴奏《ばんそう》弾《ひ》きと結婚《けっこん》した。そして方々の舞台にも立ち、自分の舞踊会を催《もよお》すようになった。

その頃、彼は楽壇《がくだん》関係者の一人に数えられてはいたが、音楽を理解するというよりも、或る音楽雑誌に月々金を出すに過ぎなかった。しかし、顔見知りと馬鹿話をするために、音楽会へは通っていた。千花子の舞踊も見た。彼女の肉体の野蛮《やばん》な頽廃《たいはい》に惹《ひ》かれた。いったいどういう秘密が、彼女をこんな野生に甦《よみがえ》らせたのか、六七年前の千花子と思いくらべて、彼は不思議でならなかった。なぜあの頃結婚しておかなかったのかとさえ思った。

しかし、第四回の舞踊会の時、彼女の肉体の力はげっそり鈍《にぶ》って見えた。彼は勢いこんで楽屋へ行くと、まだ踊衣裳《おどりいしょう》のまま化粧《けしょう》を落しているところなのもかまわずに、彼女の袖《そで》を引っぱって、小暗い舞台裏へ連れ出した。

「そこを放して頂戴《ちょうだい》。ちょっとなにかに触《さわ》っても、お乳が痛いんですから」

「だめじゃないか、なんて馬鹿なことをして」

「だって、私は昔から子供が好きなんですもの。ほんとうに自分の子供がほしかったんですもの」

「育てる気か。そんな女々《めめ》しいことで、一芸に生きられるか。今から子持ちでどうする。もっと早くに気をつけろ」

「だって、どうしようもなかったんですもの」

「馬鹿なことを言え。女の芸人がいちいち真正直に、なにをしてたまるか。亭主は

どういう考えだ」

「喜んで可愛《かわい》がってますわ」

「ふん」

「昔あんなことしてた私にも、子供が出来るって、うれしいわ」

「踊なんか止《よ》したらいいだろう」

「いやよ」と、思いがけなく激しい声なので、彼は黙《だま》ってしまった。

けれども、千花子は二度と出産をしなかった。産れた子供も彼女の傍《そば》には見られな

くなった。ところがそのためであるか、彼女の夫婦生活は次第に暗く荒《すさ》んで行くらし

かった。そういう噂《うわさ》が彼の耳にも入った。

このボストン・テリアのように、千花子は子供に無心ではいられなかったのである。

犬の子にしても、彼が助けようと思えば、助けられたのである。第一の死の後に、

藁をもっと細かく刻んでやるか、藁の上に布を敷《し》くかしてやれば、それで後の死は救

えたのである。それは彼に分っていた。しかし、最後に残った一頭も、やがて三人のきょうだいと同じ死に方をした。彼は子犬が死ねばいいと思ったわけではなかった。だが、生かさねばならないとも思わなかった。それほど冷淡《れいたん》であったのは、彼等が雑種だからであろう。

路傍《ろぼう》の犬が彼について来ることは度々あった。彼は遠い道をそれらの犬と話しながら家に帰り、食物をやり、温かい寝床に泊めてやったものであった。犬には彼の心のやさしさが分るのだと、ありがたかった。けれども、自分の犬を飼うようになってからは、道の雑犬など見向きもしなくなった。人間についても、またかくの如《ごと》くであろうと、彼は世のなかの家族達をさげすみながら、自らの孤独も嘲《あざけ》るのである。

雲雀《ひばり》の子も同じだった。生かして育てようとの仏心は直ぐ消えて、屑鳥《くずどり》など拾ってもしかたがないと、子供達のなぶり殺しにまかせておいたのである。

ところが、この雲雀の子を見ていた、ほんのちょっとの時間に、彼の菊戴《きくいただき》は水を浴び過ぎたのだった。

驚《おどろ》いて水籠《みずかご》を盥《たらい》から出したが、二羽とも籠の底に倒《たお》れて、濡《ぬ》れたぼろのように動かなかった。掌に載《の》せてみると、ひくひく足を動かしたので、

「ありがたい、まだ生きている」と勇み立つと、もう目を閉じ、小さい体の底まで冷

え切って、とうてい助かりそうにもないものを、手に握《にぎ》って長火鉢《ながひばち》に焙《あぶ》りながら、つぎ足した炭を女中に煽《あお》がせた。羽毛から湯気が立った。小鳥が痙攣的に動いた。身を焼く熱さの驚きだけでも、死と戦う力となるかと思ったが、彼は自分の手が火気に堪《た》えられないので、水籠の底に手拭《てぬぐい》を敷き、その上に小鳥を載せて、火にかざした。手拭が狐色《きつねいろ》に焦《こ》げるくらいだった。小鳥は時々弾《はじ》かれたように、ばたりばたりと翼《つばさ》を拡《ひろ》げて転げはじめたものの、立つことは出来ず、また目を閉じた。羽毛がすっかり乾《かわ》いた。しかし火から離《はな》すと、倒れたままで、生きそうには見えなかった。女中が雲雀を飼う家へ行って、小鳥が弱った時は、番茶を飲ませて、綿にくるんでやればいいと聞いて来た。彼は脱脂綿に小鳥を包んだのを両手に持ち、番茶をさまさせて、嘴《くちばし》を入れてやった。小鳥は飲んだ。やがて擂餌《すりえ》に近づけると、頭を伸《の》ばして、啄《ついば》むようになった。

「ああ、生きかえった」

なんというすがすがしい喜びであろう。気がついてみると、小鳥の命を助けるのに、もう四時間半もかかっていたのだった。

しかし、菊戴は二羽とも、止木に止まろうとして幾度《いくど》となく落ちた。足の指が開かないらしい。捕《とら》えて指で触ってみると、足の指は縮かんだまま硬《こわ》ばっている。細い枯《かれ》枝《えだ》のように折れそうだ。

「旦那《だんな》さまがさっき、お焼きになったんじゃありませんか」と、女中に言われてみると、いかにも足の色がかさかさに変ってしまっていて、しまったと思うだけに、尚更《なおさら》腹が立って、

「僕《ぼく》の手の中に入れてたのに、手拭の上だのに、鳥の足の焼けるわけがあるか。――明日も足が治らなかったら、どうすればいいか、鳥屋へ行って教わって来い」

彼は書斎の扉《ドア》に鍵《かぎ》をかけて、閉じこもりながら、小鳥の両足を自分の口に入れて温めてやった。舌ざわりは哀憐《あいれん》の涙《なみだ》を催すほどであった。やがて彼の掌《てのひら》の汗が翼を湿《しめ》らせた。唾《つば》で潤《うるお》って、小鳥の足指は少し柔《やわ》らいだ。手《て》荒《あら》にさわれば脆《もろ》く折れそうなのを、彼は先《ま》ず指の一本を丹念《たんねん》に伸ばしてやり、自分の小指を握らせてみたりした。そしてまた足を口に銜《くわ》えた。止木を外して、小皿に移した餌を籠の底へ置いたが、不自由な足で立って食うことは、まだ難儀《なんぎ》であるらしかった。

「やっぱり旦那さんが足をお焦がしになったんじゃないでしょうかって、鳥屋さんも申しておりました」と、翌《あく》る日女中は小鳥屋から帰って、

「お番茶で足を温めてやるとよろしいんですって。でもたいてい、鳥が自分で足をついて治すもんだそうでございます」

なるほど、小鳥はしきりと自分の足指を嘴で叩《たた》いたり、銜えて引っぱったりしていた。

「足よ、どうした。しっかりしろ」と啄木鳥《きつつき》のような勢いで、元気いっぱいに啄んでいた。不自由な足で敢然《かんぜん》と立ち上ろうとした。体の一部分が悪いなんて、不思議千万《せんばん》だと言いたげな、小さい者の生命の明るさは、声をかけて励《はげ》ましたいくらいであった。

番茶に浸《ひた》してもやったが、やはり人間の口中の方が利目《ききめ》があるようだった。

この菊戴は二羽とも、あまり人間になれていず、これまでは握ると胸を激しく波立たせるくらいだったが、足を痛めた一日二日で、彼の掌にすっかりなじんだらしく、怯《おび》えるどころか、楽しそうに鳴きながら、抱《だ》かれたまま餌を食うように変ってしまった。それが一入《ひとしお》いじらしさを増した。

しかし、彼の看病も一向しるしがなく、怠《なま》けがちとなり、縮んだままの足指は糞《ふん》にまみれ、六日目の朝、菊戴夫婦は仲よく死骸となっていた。

小鳥の死はまことにはかない。たいていは、朝の籠に思いがけない死骸を見るものである。

彼の家で初めて死んだのは、紅雀《べにすずめ》であった。番《つがい》とも夜の間に鼠《ねずみ》に尾を抜《ぬ》かれて、籠に血が染まっていた。雄《おす》は翌日倒れた。ところが雌《めす》の方は、次々と相手に迎《むか》えてやった雄が、なぜか皆死んで行くにかかわらず、猿のような赤むけの尻《しり》のまま、長いこと生きていた。しかしやがて、衰弱《すいじゃく》の果てに落鳥した。

「うちでは紅雀が育たんらしい。紅雀はもう止《や》めた」

元来、紅雀みたいな少女好みの鳥は嫌《きら》いなのだった。西洋風な播餌鳥《まきえどり》よりも、日本風な擂餌鳥《すりえどり》の渋《しぶ》さを愛した。鳴鳥《めいちょう》にしても、カナリヤとか、鶯《うぐいす》とか、雲雀とか、鳴きの花やかなものは、気に入らなかった。だのに、紅雀などを飼ったのは、小鳥屋がくれて行ったからに過ぎなかった。一羽が死んだから、後を買ったというだけの話であった。

けれども、犬にしろ、例えば一度コリイを飼うと、その種《しゅ》を家に絶やしたくないような気になるものだ。母に似た女にあこがれる。初恋人《はつこいびと》に似た女を愛する。死んだ妻に似た女と結婚したくなる。それと同じではないか。動物相手に暮すのは、もっと自由な傲慢《ごうまん》を寂《さび》しみたいためだと、彼は紅雀を飼うのを止《よ》した。

紅雀の次に死んだ黄鶺鴒《きせきれい》は、腰《こし》から後の緑黄色や腹の黄色や、ましてそのやさしく淡《あわ》い姿形に、竹の疎林《そりん》のような趣《おもむき》があり、殊《こと》によく馴《な》れて、食の進まぬ時も、彼の指からならば、半開きの翼をうれしそうに顫《ふる》わせて愛らしく鳴きながら、喜んで食べ、彼の顔の黒子《ほくろ》も戯《たわむ》れに啄もうとするほどであったから、座敷に放しておいて、塩せんべいやなにかの屑《くず》を拾い食いし過ぎて死んだ後は、新しいのをほしいと思ったが、やはり思いあきらめて、これまで手がけたことのない赤鬚《あかひげ》を、その空籠に入れたのだった。

けれども菊戴の場合は、溺《おぼ》れさせたのも、足を痛めさせたのも、全く彼の過失であったゆえか、反《かえ》って未練が断《た》ちにくかった。直ぐにまた小鳥屋が一番《ひとつがい》持って来た。それをまたしても、何分小柄《こがら》な鳥であるにしろ、今度は盥の傍を離れず見ていたのに、同じ水浴の結果を迎えたのである。

水籠を盥から出した時、ぶるぶる顫えて目を閉じながらも、とにかく足で立っていただけ、前よりはよほどましだった。もう足を焦がさない注意も出来る。

「またやっちゃった。火をおこしてくれ」と、彼は落ちつき払《はら》って、恥《はず》かしそうに言うと、

「旦那さま、でも、死なせておやりになったらいかがでございます」

彼はなんだか目が覚めたように驚いた。

「だって、この前のことを思えば、造作なく助かる」

「助かったって、また長いことありませんよ。この前も、足があんな風で、早く死んでしまえばいいのにと思っておりました」

「助ければ助かるのに」

「死なせた方がよろしいですよ」

「そうかなあ」と、彼は急に気が遠くなるほど、肉体の衰《おとろ》えを感じると、黙って二階の書斎《しょさい》へ上り、鳥籠を窓の日差のなかに置いて、菊戴の死んでゆくのを、ただぼんやり眺《なが》めていた。

日光の力で助かるかもしれないとは、祈《いの》っていた。しかしなんだか妙《みょう》に悲しくて、自らのみじめさをしらじらと見るようで、小鳥の命を助けるために、この前のように騒《さわ》ぐことは出来ないのだった。

いよいよ息が絶えると、小鳥の濡れた死骸《しがい》を籠から出して、しばらく掌に載せていた。それからまた籠に戻《もど》して、押入《おしいれ》へ突《つ》っこんでしまった。その足で階下へ下りたが、女中にはなにげなく、

「死んだよ」と言っただけであった。

菊戴は小柄なだけに、弱くて落鳥しやすい。けれども、同じような柄長《えなが》や、みそさざいや、日雀《ひがら》などは、彼の家で健《すこ》やかなのである。それも二度まで水浴で殺すなんて、例えば一羽の紅雀が死んだ家には、紅雀が生きにくくなるのであろうかなどと、彼は因縁《いんねん》じみたことを考えながら、

「菊戴とはもう縁切《えんきり》だよ」と、女中に笑ってみせ、茶の間に寝《ね》ころんで、犬の子供達に頭の毛をぐいぐい引っぱらせて、そこに十六七並んだ鳥籠のうちから、木菟《みみずく》を選ぶと、書斎へ持って上った。

木菟は彼の顔を見ると、円い目を怒らせ、すくめた首をしきりに廻《まわ》して、嘴を鳴らし、ふうふう吹《ふ》いた。この木菟は彼が見ているところでは、決してなにも食わない。肉片を指に挟《はさ》んで近づけると、憤然《ふんぜん》と嚙《か》みつくが、いつまでも嘴にだらりと肉をぶら下げたまま、呑《の》みこもうとはしない。彼は夜の明けるまで、意地っ張りの根《こん》くらべをしたこともあった。彼が傍《そば》にいれば、擂餌を見向きもしない。体も動かさない。しかし夜が白みかかると、さすがに腹が空く。止木を餌の方へ横ずりに近づく足音が聞える。彼が振《ふ》り向く。頭の毛をすぼめ、目を細め、これほど陰険《いんけん》で狡猾《こうかつ》な表情がまたとあろうかと思われる風に、餌の方へ首を伸ばしていた鳥は、はっと頭を上げて、彼を憎《にく》さげに吹いてから、素知らん顔をする。彼がよそ見をする。そのうちにまた木菟の足音が聞える。両方の目が合って、鳥はまた餌を離れる。それを繰《く》り返すうちに、もう百舌《もず》が朝の喜びを、けたたましく歌う。

彼はこの木菟を憎むどころか、楽しい慰《なぐさ》めとした。

「こういう女中がいないかと思って捜《さが》してるんだ」

「ふん。君もなかなか謙譲《けんじょう》なところがあるよ」

彼はいやな顔をして、もう友人からそっぽを向き、

「キキ、キキ」と、傍の百舌を呼んだ。

「キキキキキキキ」と、百舌はあたりの一切《いっさい》を吹き払うように、高々と答えた。

木菟と同じ猛禽《もうきん》だが、この百舌は差餌の親しみが消えないで、甘《あま》ったれの小娘《こむすめ》のように彼になついていた。彼が外出から帰る足音を聞いても、咳《せき》払いをしても、鳴き立てる。籠を出ていると、彼の肩《かた》や膝《ひざ》へ飛んで来て、翼を喜びに顫わせる。

彼は目覚《めざまし》時計の代りにこの百舌を枕《まくら》もとに置いている。朝が明るむと、彼が寝返りしても、手を動かしても、枕を直しても、唾を飲む音にさえ、

「チイチイチイチイ」と甘えるし、

「キキキキキ」と答えるし、やがてたけだけしく彼を呼び起す声は、まことに生活の朝をつんざく稲妻《いなずま》のように爽快《そうかい》である。彼と幾度か呼応して、彼がすっかり目覚めたとなると、いろんな鳥を真似《まね》て静かに囀《さえず》り出す。

「今日の日もかくて目出度《めでた》い」という思いを彼にさせる先きがけが百舌で、やがてもろもろの小鳥の鳴声が、それに続くのである。寝間着のまま擂餌を指につけて出すと、空腹の百舌は激しく嚙みつくけれども、それも愛情と受け取れる。

彼は一晩泊《どま》りの旅行でも、動物共の夢を見て夜中に目が覚めるから、家をあけるということは殆《ほとん》どない。その癖が強まってか、人を訪ねたり、買物に出たりするにも、一人だと途中《とちゆう》でつまらなくなって帰って来てしまう。女の連れのない時は、しかたなく小さい女中といっしょに行ったりする。

千花子の踊《おどり》を見に行くにしても、小女《こおんな》に花籠まで持たせてであれば、「止して帰ろう」と、引き返すことが出来ない。

その夜の舞踊会《ぶようかい》は或る新聞社の催《もよお》しで、十四五人の女流舞踊家の競演のようなものであった。彼は千花子の舞台を二年振りくらいで見るのだったが、彼女の踊の堕落《だらく》に目をそむけた。野蛮《やばん》な力の名残《なごり》は、もう俗悪《ぞくあく》な媚態《びたい》に過ぎなかった。踊の基礎《きそ》の形も、彼女の肉体の張りと共に、もうすっかり崩《くず》れてしまっていた。

運転手にああ言われても、葬式《そうしき》には出会ったし、家には菊戴の死体があるし、縁起が悪かろうというのをいい口実にして、花籠は小女に楽屋へ届けさせたのだったが、彼女は是非会いたいとのこと、今の踊を見ては、ゆっくり話すのもつらく、それならば休憩《きゆうけい》時間にまぎれてと、楽屋へ行ったが、その入口で彼は立ちすくむより早く体を扉《ドア》に隠《かく》した。

千花子は若い男に化粧《けしよう》をさせているところだった。

静かに目を閉じ、こころもち上向いて首を伸ばし、自分を相手へ任せ切った風に、じっと動かない真白な顔は、まだ脣《くちびる》や眉《まゆ》や瞼《まぶた》が描いてないので、命のない人形のように見えた。まるで死顔のように見えた。

彼は十年近く前、千花子と心中しようとしたことがあったのだ。その頃、彼は死にたい死にたいと口癖にしていたほどだから、なにも死なねばならぬわけはなかったのだった。いつまでも独身で動物と暮している、そういう生活に浮《うか》ぶ泡沫《うたかた》の花に似た思いに過ぎなかった。だから、この世の希望は誰かがよそから持って来てくれるという風に、ぼんやり人まかせで、まだこれでは生きているとは言えないような千花子は、死の相手によいかとも感じられた。果して千花子は、自分のしていることの意味を知らぬ例の顔つきで、たわいなくうなずくと、ただ一つの註文《ちゅうもん》を出した。

「裾《すそ》をばたばたさせるっていうから、足をしっかり縛《しば》ってね」

彼は細紐《ほそひも》で縛りながら彼女の足の美しさに今更驚《いまさらおどろ》いて、

「あいつもこんな綺麗《きれい》な女と死んだと言われるだろう」などと思った。

彼女は彼に背を向けて寝ると、無心に目を閉じ、少し首を伸ばした。それから合掌《がっしょう》した。彼は稲妻のように、虚無《きょむ》のありがたさに打たれた。

「ああ、死ぬんじゃない」

彼は勿論《もちろん》、殺す気も死ぬ気もなかった。千花子は本気であったか、戯れ心であったかは分らぬ。そのどちらでもないような顔をしていた。真夏の午後であった。

しかし彼はなにかひどく驚いて、それから後は自殺を夢にも思わず、また口にもしなくなった。たといどのようなことがあろうと、この女をありがたく思いつづけねばならないと、その時心の底に響《ひび》いたのだった。

踊の化粧を若い男にさせている千花子が、彼女のその昔の合掌の顔を、彼に思い出させたのである。さっきも、自動車に乗ると直ぐ浮んだ白日夢は、これであった。たとい夜でもあの千花子を思い出す度《たび》に、真夏の白日の眩《まぶ》しさにつつまれているような錯覚《さっかく》を感じるのだった。

「それにしても、なぜ自分は咄嗟《とっさ》に扉《ドア》の陰《かげ》へ隠れたのかしら」と、呟《つぶや》きながら廊下《ろうか》を引き返して来ると、親しげに挨拶《あいさつ》した男があった。誰だかしばらく分らないでいるのに、その男はひどく興奮して、

「やっぱりいいですね。こうして大勢踊らせると、やっぱり千花子のいいのがはっきりしますすね」

「ああ」と、彼は思い出した。千花子の亭主《ていしゅ》の伴奏弾《ばんそうひ》きだった。

「この頃《ごろ》はどうです」

「いや、一度御挨拶に上ろうと思って。実は去年の暮にあいつと離婚《りこん》したんですが、やっぱり千花子の踊は抜群《ばつぐん》ですね。いいですなあ」

彼は自分もなにか甘いものを見つけなければと、なぜだか胸苦しくあわてた。すると、一つの文句が浮んで来た。

ちょうど彼は、十六で死んだ少女の遺稿《いこう》集を懐《ふところ》に持っていた。少年少女の文章を読むことが、この頃の彼はなにより楽しかった。十六の少女の母は、死顔を化粧してやったらしく、娘の死の日の日記の終りに書いている、その文句は、

「生れて初めて化粧したる顔、花嫁《はなよめ》の如《ごと》し」

注　解

伊豆の踊子

ページ

九　＊稗史　昔中国で、稗官《はいかん》（小役人）が世間のうわさや小事件などを歴史風に書いたもの。転じて、歴史小説。史話。

三九　＊香具師　縁日・祭礼などの人出の多い所で見世物などを興行し、また粗製《そせい》の商品などを売ることを業とするもの。

四一　＊敷島　明治三十七年から昭和十八年まで販売されていたタバコの名。

四三　＊今度の流行性感冒　スペイン風邪《かぜ》・大正風邪と呼ばれた有名なもので、大正七年の秋から世界的に流行し、大正八年冬には日本全国で患者《かんじゃ》百五十万、死者十五万を出した。

温泉宿

ページ

五〇　＊生簀　漁獲《ぎょかく》した魚や料理などに使う魚を生かしておく所。池または海岸の水中に竹垣《たけがき》をとりまわしたものや箱形のものなどがある。

五二　＊桃割髪　十六、七歳の娘の結《ゆ》う日本髪の一。髪を左右に分け、輪にして後頭上部で留め、桃を二つに割ったような形とする。

五三　＊曖昧宿　いかがわしい宿。とくに淫売婦《いんばいふ》をかかえておく宿。

七〇　＊玉の輿　身分の低い女が結婚《けっこん》して急に富貴な身の上になること。

八四　＊銀杏返し　日本髪の一。たばねた髪を二つに分け、左右に二つの輪を作る。中年の婦人に多い。

抒情歌

ページ

一一一　＊維摩経　中インド毘舎離《びさり》城の大富豪《だいふごう》で、弁才に長じ俗人《ぞくじん》のまま仏陀《ぶつだ》の弟子であったとされる架空《かくう》の人物維摩の説話を叙《じょ》した経典。

一一二　＊サア・オリヴァ・ロッジ　Sir Oliver Joseph Lodge (1851—1940) イギリスの物理学者。無線電信を研究して、電磁誘導《ゆうどう》無線電信を発明した。後年は心霊《しんれい》学にこって死者との通話を信じた。

一一五　＊ダンテ　Dante Alighieri (1265—1321) イタリア・ルネッサンス期の大詩人。『神曲』は、作者自身が森中に迷い、人間理性の象徴《しょうちょう》たるウェルギリウス（ローマの詩人）および年少時の愛人ベアトリーチェの手引で、地獄《じごく》界、浄罪《じょうざい》界を経て天堂界へ遍歴《へんれき》する一大叙事詩である。

＊スエエデンボルグ　Emanuel Swedenborg (1688—1772) スウェーデンの科学者・思想家。初め数学や物理を学んだが、後年は心霊研究に没頭《ぼっとう》した。彼は聖書を神の直接の声として理解し、また精霊と人間界との交通の可能を説いた。

一一七

＊盂蘭盆会　目連尊者が餓鬼道《がきどう》に陥《おちい》った母親を見、釈迦《しやか》の教えによって救ったという故事による。旧暦《きゆうれき》七月十五日、種々の食事を供え、祖先父母の霊の苦しみを救い、冥福《めいふく》を祈る行事。

＊目連尊者　釈迦十大弟子の一人目犍連《もつけんれん》のこと。

＊川施餓鬼　水死人の冥福を祈るため、川べや船中で営む法要。

＊一休禅師　(1394―1481)室町末期の臨済《りんざい》宗の僧。京都大徳寺の住持。詩や狂歌が巧《たく》みで、また書画をよくし、諸国を漫遊《まんゆう》、奇行《きこう》が多かった。

一一八

＊ありの実　梨の実のこと。「梨」が「無し」に通じるのを忌《い》んだ反語。

＊松翁　布施松翁。心学書『松翁道話』の著者。生没年不詳《ふしよう》。

＊五道　善悪の因により人が死後に行き着く五種の世界。すなわち、地獄・餓鬼・畜生《ちくしよう》・人間・天上の世界。

＊劫　仏語で時の義、極めて長い時間をいう。

一二〇

＊輪廻　インド思想・仏教の根本概念《がいねん》の一。霊魂《れいこん》が肉体とともに死滅しないで転々と他の肉体に移り、ちょうど車輪が廻《まわ》るように、永久に迷いの世界を巡《めぐ》ること。生き変り、死に変ること。

＊涅槃　火が消えたように、いっさいの煩悩《ぼんのう》の境地を離《はな》れて、無為《むい》・静寂《せいじやく》の境地に入ること。悟《さと》りの境地に入ること。また、その境地。

＊不退転　修養が積み進んで、もはや退くことがないようになること。

一一一 ＊ヴェダ経　インド最古の宗教文献《ぶんけん》。バラモン教の経典。インドの宗教・文学の根源をなすものである。

一一一 ＊グレエトヘン　ゲーテの『ファウスト』の女主人公。牢屋《ろうや》の歌では小鳥への転生を歌っている。

一一四 ＊汎神論　神は一切万有《いっさいばんゆう》であり、一切万有が神にほかならないとする説。

一一四 ＊死者の書　古代エジプトで、死者を葬《ほうむ》る時に用いた書。死者の冥福のための祈禱《きとう》・讃《さん》歌《か》・信条などから成る。

一二五 ＊正覚　妄想《もうぞう》を断《た》ち切って仏果を得ること。正しい悟り。

一三四 ＊イサドラ・ダンカン　Isadora Duncan (1878—1927) アメリカの女流舞踊《ぶよう》家。近代舞踊の母と言われる。

一四〇 ＊聖フランシス　San Francesco d'Assisi (1181〔82〕—1226) 中世イタリア、アッシジ出身の修道僧で、カトリック・キリスト教の一派フランシスコ会の設立者。

禽獣

ページ

一四四 ＊太宰春台　(1680—1747) 江戸時代の漢学者。荻生徂徠《おぎゅうそらい》の提唱した古文辞学を継承《けいしょう》した。

川端康成　人と作品

竹西寛子

川端康成の生前に発表された最後の創作は『隅田川《すみだがわ》』であった。敗戦の後に断続的に発表された『反橋《そりはし》』『しぐれ』『住吉《すみよし》』の連作と思われるもので、いずれも「あなたはどこにおいでなのでしょうか」という共通の書き出しをもっている。題名の拠《よ》りどころとなっている謡曲《ようきょく》『隅田川』は、知られるように、攫《さら》われたわが子を尋《たず》ねて狂《くる》い、はからずも人の口にその死を知る母をうたう曲である。「あなた」は、不在によっていかようにも彩《いろど》られる母なる人か。『梁塵秘抄《りょうじんひしょう》』の讃《たた》える仏か。それとも永遠なるものの同義語であるか。そのいずれでもなく、そのすべてでもあり得るような作品を遺《のこ》して凡《およ》そ半年の後に、作者は自ら帰らぬ人となっている。

病床《びょうしょう》にある盲目《もうもく》の祖父との生活を断片的に記録したかたちの『十六歳《さい》の日記』は、その瑞々《みずみず》しさにおいて『伊豆の踊子』と並ぶ作品といえよう。門を閉《とざ》した家で、死期の迫《せま》っているただ一人の肉親を看《み》ては中学に通う少年の目には、涙《なみだ》も怒《いか》りも眠《ねむ》りもあるのに妥協《だきょう》はなく、当事者でありながら同時に傍観《ぼうかん》者でありつづけるという目と物との関係は、この日記においてすでに定まっている。

東大在学中の『新思潮』創刊、『文藝春秋』同人への参加、プロレタリア文学雑誌『文芸戦線』に拮抗《きっこう》するように、第一次大戦後のヨーロッパ前衛文学の影響《えいきょう》を積極的に受けながら新しい感覚の文学を志した『文芸時代』の創刊、芥川《あくたがわ》賞銓衡《せんこう》委員、海軍報道班員、日本ペンクラブ会長、ノーベル文学賞受賞と辿《たど》ってくると、まぎれもなく時の世の人として生きた川端康成の軌跡《きせき》は明らかである。

しかし、その軌跡に、さきの日記をはじめとして、『伊豆の踊子』『抒情歌《じょじょうか》』『禽《きん》獣《じゅう》』『雪国』『名人』『千羽鶴《せんばづる》』『山の音』『眠れる美女』『片腕《かたうで》』などの作品を改めて辿る時、いかなる時の世にも義理立ても心中もしなかった作家川端康成の軌跡もまた明らかとなる。『十六歳の日記』へのなつかしさが、単なるなつかしさを超《こ》えるのはそういう時である。ここには、およそ無駄と名づけられるものの見出《みいだ》しようがなく、勁《つよ》くて撓《しな》やかな言葉は、湧《わ》き水のような行間の発言と相携《あいたずさ》え、澄《す》んだ詩となってこの作品を陰惨《いんさん》から救っている。

二、三歳で父と母を、七歳で祖母を、そして十五歳までに、たった一人の姉と、祖父とをことごとく死界に送った人の哀《かな》しみは、遺《のこ》された作品に探《さぐ》るほかはない。「孤《こ》児《じ》意識の憂鬱《ゆううつ》」から脱出《だっしゅつ》する試みを、行きずりの旅芸人への親和のうちに果している『伊豆の踊子』は、川端康成には珍《めずら》しく涙の爽《さわ》やかな作品で、ここでは、自力を超えるものとの格闘《かくとう》に真摯《しんし》な若者だけが経験する人生初期のこの世との和解が、一編のかなめとなっている。二十歳の「私」の高等学校の制帽《せいぼう》も、紺飛白《こんがすり》の着物や袴《はかま》、朴歯《ほおば》の高下《たかげ》駄《た》も、すべて青春の意匠《いしょう》にはちがいないが、『伊豆の踊子』の「青春の文学」たる所以《ゆえん》は、ほかならぬこの和解の切実さにある。

旅芸人の一行と別れて後の「私」の涙を、感傷と呼ぶのは恐《おそ》らく当っていない。それは偶然《ぐうぜん》の恩寵《おんちょう》によって、過剰《かじょう》な自意識という高慢《こうまん》の霧《きり》の吹《ふ》き払《はら》われたしるしなのであり、そうであればこそ、「どんなに親切にされても、それを大変自然に受け入れられるような」、そして、自分をとりまく「何もかもが一つに融《と》け合って感じられ」るような「私」の経験を、読者もまた自分のものとなし得るのである。

与《くみ》し難《がた》いこの世との最初の和解の契機《けいき》は、それこそ人さまざまであろう。十四歳の可《か》憐《れん》な踊り子との束《つか》の間《ま》の縁を、そのような契機となし得るか否《いな》かも心々である。そしてこの和解が、文字通り不可解なこの世との最初の和解でしかなかったにしても、青年と少女とのこうした出会いと別れに、『禽獣』や『山の音』、『眠れる美女』にいたってそれぞれ別様に充実《じゅうじつ》する、憧憬《どうけい》や思慕《しぼ》はあるのに陶酔《とうすい》を許さないという川端文学の特色をいち早く嗅《か》ぎつけることもできるだろう。あの、「どんなに親切にされても、それを大変自然に受け入れられるような」気分が、一方で、「美しい空虚《くうきょ》な気持」として「私」に実感されているのを見落してはならない。

戦前の作を代表する『雪国』に、故意か偶然か、同類の言葉が繰《く》り返されているのは興味深いことである。「駒子《こまこ》の愛情は彼に向けられたものであるにもかかわらず、それを美しい徒労であるかのように思う彼自身の虚《むな》しさがあって、けれども反《かえ》ってそれにつれて、駒子の生きようとしている命が裸《はだか》の肌《はだ》のように触《ふ》れて来もするのだった。彼は駒子を哀《あわ》れみながら、自らを哀れんだ。そのようなありさまを無心に刺《さ》し透《とお》す光に似た目が、葉子にありそうな気がして、島村はこの女にも惹《ひ》かれるのだった。」

生存の悲しみを「夢のからくり」とながめる男に配された女の「徒労」は、この作者の、意志とよぶにはあまりに野放図な、そしてまた、忍耐《にんたい》というにはあまりにも楽天的な相貌《そうぼう》の陶酔の拒否《きょひ》、あるいは虚しい共存容認に根を下ろしている。俗悪なものにも、高貴なものにも、透明《とうめい》な目で無差別の熱烈《ねつれつ》な交わりをつづけながら、あらゆる物から離《はな》れて立ち、しかもあらゆる物を精力的に容認するというこの世の愛し方は、川端康成をたとえば横光利一のように、「西方と戦った新しい東方の受難者」にも、また、「東方の伝統の新しい悲劇の先駆者《せんく》」にもしなかった所以のものであるが、『雪国』と『伊豆の踊子』を分つ一点を、「美しい空虚な気持」に加えられた「美しい徒労」の自覚の介入《かいにゅう》に絞《しぼ》る時、汽車の窓硝子《まどガラス》に映る娘《むすめ》の顔に北国の野山のともし火をともした、あの言挙《ことあ》げされることの多い描写《びょうしゃ》もさることながら、一見何の変哲《へんてつ》もないような以下の部分に、かえって鮮烈《せんれつ》な作者を見ることも少なくない。

「秋が冷えるにつれて、彼の部屋の畳《たたみ》の上で死んでゆく虫も日毎《ひごと》にあったのだ。翼《つばさ》の堅《かた》い虫はひっくりかえると、もう起き直れなかった。蜂《はち》は少し歩いて転び、また歩いて倒《たお》れた。季節の移るように自然と亡《ほろ》びてゆく、静かな死であったけれども、近づいて見ると脚《あし》や触角《しょっかく》を顫《ふる》わせて悶《もだ》えているのだった。それらの小さい死の場所として、八畳《じょう》の畳はたいへん広いもののように眺められた。

　島村は死骸《しがい》を捨てようとして指で拾いながら、家に残して来た子供達をふと思い出すこともあった。」

　この一匹の瀕死《ひんし》の蜂は、事、蜂に関する私のあらゆる記憶《きおく》を妨《さまた》げはしないのに、読み返す度《たび》の私は、蜂というものをはじめて見たようなときめきを記憶に加えるのがつねであった。『雪国』の分析《ぶんせき》から、東西のさまざまの観念の抽出《ちゅうしゅつ》を試みるのは読者の自由である。しかし、『雪国』の作者は、直観の自在に遊ぶ人ではあっても、ゆめ論考思索《しさく》にこもる人ではない。決して満たされない、というよりも満たされてはならない存在への恋《こい》を、即物的《そくぶつ》にも、抽象的にも、また夢幻的《むげん》にも表現し得る感覚の力は、この『雪国』において、多様性をもってまず確立されたといい得よう。時に野蛮《やばん》な頽廃《たいはい》に惹《ひ》かれ（禽獣）、恋人ともども紅梅か夾竹桃《きょうちくとう》の花となって、花粉をはこぶ胡蝶《こちょう》に結婚させてもらいたいと願い（抒情歌）、時にまた「あなた」への呼びかけとなり（反橋連作）、谷《やと》の奥《おく》に山の音を聞いて恐怖《きょうふ》におそわれる（山の音）この作家特有の存在への恋が、長い間孤立意識に悩《なや》まされた生《お》い立ちによるものとは到《とう》底《てい》いきれないにしても、陶酔の拒否によっていっそう強まる渇望《かつぼう》のなまなましさから、作家にとって血とは何かの思いにしばしば泥《なず》んでしまうのも否定できない事実である。

互《たが》いの分身に気づかず生きていた一卵性双生児《そうせいじ》の姉妹が、分身を探り当てた後も離れて生かされる『古都』には、こうした血にまつわる渇望の、ひとつの非情な処置を見るのであるが、この処置が、虚しい共存の容認に収斂《しゅうれん》されてゆくところに、京の四季もこまやかな「古都」と、いわゆる観光小説との明らかな違《ちが》いもある。

川端康成の文学における日本をいうことは、よくいわれている割には易《やさ》しくない。古都や鎌倉が作品の舞台になるからといって、祭や茶の湯、邦楽《ほうがく》、日本画についてよく書かれるからといって、それらの作品を観光小説風に扱う冒瀆《ぼうとく》はまことに耐《た》え難い。「敗戦後の私は日本古来の悲しみのなかに帰ってゆくばかりである。」という一節の有名な「哀愁《あいしゅう》」は、敗戦を経験した文学者としての、寂しく勁い決意の文章ではあったろう。少なくともそこにあるのは、作者に意識された日本であり、日本人のはずであった。こういう作者の直截《ちょくせつ》の声を求める者には、君と死に別れてのちは、日本の山河を魂《たましい》として生きてゆこうという「横光利一弔辞《ちょうじ》」や、ノーベル賞受賞後、スウェーデン・アカデミーで行われた記念講演「美しい日本の私——その序説」、さらに又ハワイ大学での、招聘《しょうへい》された客員教授としての講演「美の存在と発見」が、当然味読の対象となろう。

しかし、エッセイほど直截ではないがエッセイに劣《おと》らず、あるいはそれ以上に雄弁《ゆうべん》で多面的なのが同じ作者の小説と読む者には、さらに又《また》、川端康成の日本及《およ》び日本人に対する意識が、敗戦などで変るはずもないと思う者には、直截な言葉だけをあげて、川端文学における日本がそこに抽出され要約されていると見做《みな》すこともまた躊躇《ためら》われるであろう。

私見によれば、川端康成の文学における日本についてては、本来モノローグによる自己充足や解放を好まず、ダイアローグによってドラマを進展させたり飛躍《ひやく》させたりする谷崎潤一郎の文学と較《くら》べてみると、少なくとも一つのことははっきりするように思う。それは、谷崎文学が、日本の物語の直系であるようには、川端文学はドラマの欠如《けつじょ》あるいは不必要によって直系とはいい難く、本質的にはモノローグに拠るものという点で、和歌により強く繫《つな》っているということである。しばしば小説の約束事は無視されて一見随筆《ずいひつ》風でもあるのに、あえて日記随筆の系譜《けいふ》に与させないのはほかでもない。さきにもふれたように、この文学は、ゆめ論述述志の文学ではなく、感覚と直観によってこの世との関係を宙に示しているからである。

いうまでもなく、二十世紀の人である川端康成は、すでに在る自国の文学のほか、異国の文学といえば漢文学しか享受《きょうじゅ》できなかった古代の歌詠《うたよ》みや日記物語の作者とちがって、古今東西の文学の広い享受者でもある。『骨拾い』『雨傘《あまがさ》』などをふくむ「掌の小説《てのひら》」の闊達《かったつ》な多様性が、もっとも率直かつ雄弁に語っているのもこのことである。谷崎潤一郎の、自国の文学享受が、王朝と江戸と西欧《せいおう》との混淆《こんこう》というかたちで生かされているのに対し、この作家の場合は、王朝と中世と西欧とが重なっていてこれ又独自であり、その中世では、軍記物語のたぐいよりも歌と歌論、つまり詩と詩論のたぐいに、より積極的な関心の厚さが見えるのも注目されてよいことと思われる。際限のない、渇望としてのみありつづける存在への恋が、物や事の、虚しい共存容認という歯止めをもつ時、ダイアローグを不可欠とするドラマよりもモノローグと結ぶのはむしろ自然かとも思われるのであるが、ダイアローグを排除《はいじょ》するところでしか成立しない『眠りの美女』の詩または音楽、一見きわめて西欧的なこの密室の性愛さえ、じつはこの作家における和歌的なるものの一つの極北を示しているとみられることにも、川端康成における日本の複雑さを思わずにはいられないのである。

（昭和四十八年六月、作家）

『伊豆の踊子』について

三島由紀夫

新潮社版川端康成全集は第一巻に『伊豆の踊子』を、第二巻に『温泉宿』を、第四巻に『抒情歌《じょじょうか》』と『禽獣《きんじゅう》』を収録している。解説もほぼこの順序を追おう。

『伊豆の踊子』は、もっと長い草稿《そうこう》の一部分であったことが、全集のあとがきにも記されている。これは偶然《ぐうぜん》この作家の小説技術を暗示する面白い挿話《そうわ》で、すでに『十六歳《さい》の日記』に見られるような、作者の目に映った現実のどの部分を截断《せつだん》しても作品の構図ができあがるという稀《まれ》な天稟《てんぴん》の証拠《しょうこ》物件がここにも見られるのである。『伊豆の踊子』は構図としても間然するところのないもので、断片《フラグメント》という感じを与《あた》える作品ではない。方解石の大きな結晶《けっしょう》をどんなに砕《くだ》いても同じ形の小さな結晶の形に分れるように、川端氏の小説は、小説の長さと構成との関係について心を労したりする必要がないのである。これは実は純粋《じゅんすい》に選択《せんたく》され限定され定着され晶化された資質の、拡大と応用と敷衍《ふえん》の運動の軌跡《きせき》であって、問題はこうした魔術《まじゅつ》的な内的普遍《ふへん》性をもった資質が、どんな風に発見されたかという微妙《びみよう》な経過、ならびにその発見の能力の花ひらいて行った過程にある。『伊豆の踊子』はこれを跡《あと》づけるために最も適当な作品であって、たとえば川端氏の全作品の重要な主題である「処女の主題」がここに端緒の姿をあらわす。

「髪《かみ》を豊かに誇張《こちよう》して描いた、稗史《はいし》的な娘《むすめ》の絵姿のような感じだった」

「……子供なんだ。私は朗《ほが》らかな喜びでことことと笑い続けた」

「昨夜の濃《こ》い化粧《けしよう》が残っていた。唇と眦《まなじり》の紅が少しにじんでいた」

「踊子は料理屋の二階にきちんと坐《すわ》って太鼓《たいこ》を打っていた」

これらの静的な、また動的なデッサンによって的確に組み立てられた処女の内面は、一切《いつさい》読者の想像に委《ゆだ》ねられている。川端氏はこの「処女の主題」のおかげで、氏の同時代の作家が悉《ことごと》く陥《おち》った浅はかな似非《えせ》近代的心理主義の感染《かんせん》を免《まぬ》かれるのである。世間ではこれを抒情というが、『伊豆の踊子』の終局に見られる「甘《あま》い快さ」がどうして抒情であろうか。これはむしろ反抒情的なものだ。まるでこの見事な若書《わかがき》の小説は、「甘い快さ」だけではこのような作品が成立しないことの証明として書かれたようなものだからだ。若書と私は言った。『伊豆の踊子』は日本の作家が滅多にもたない若さそれ自体の未完成の美をもっているが故《ゆえ》に、（もし若書という言葉に善い意味がつけられるものなら）、決して作品の未完成を意味しない真の若書ともいうべきものだ。処女の内面は、本来表現の対象たりうるものではない。処女を犯《おか》した男は、決して処女について知ることはできない。処女を犯さない男も、処女について十分に知ることはできない。しからば処女というものはそもそも存在しうるものであろうか。この不可知の苦い認識、人が川端氏の抒情というのは、実はこの苦い認識を不可知のものへ押《お》しすすめようとする精神の或る純潔な焦躁《しょうそう》なのである。焦躁であるために一見あいまいな語法が必要とされる。しかしこのあいまいさは正確なあいまいさだ。

ここにいたって、処女性の秘密は、芸術作品がこの世に存在することの秘密の形代《かたしろ》になるのである。表現そのものの不可知の作用に関する表現の努力がここから生れる。「抒情的」の神秘主義はこうした性質のもので、『抒情歌』が氏の全作品の重要な象《しょう》徴《ちょう》の位置を受け持つ所以《ゆえん》もそこにある。

因《ちな》みに『伊豆の踊子』の南伊豆の明るい秋の風光は、掌篇《しょうへん》小説『有難う』の中にもたぐいまれな美しさで再現されているから、併読《へいどく》されたい。

『伊豆の踊子』は大正十一年―十五年の作品であるが、『温泉宿』は昭和二年に書かれている。晩夏から冬にかけての、宿の女中と酌婦《しゃくふ》たちの流転《るてん》をえがいた複雑きわまるこの小説は、逆に大ぜいの女の運命の変転を単純な季節感によって裁断した作家の目に、『伊豆の踊子』の作家の成長を見てもよい。季節はただの意匠《いしよう》として用いられているのではない。蕉風開眼《しようふうかいげん》の俳諧《はいかい》の真意がそこにあるように、季感は、人間の流転を最も単純な強靱《きようじん》な目でとらえるための唯一《ゆいいつ》の手がかりなのである。そしてこの単純な裁断を可能にする無頓着《ノンシヤランス》あるいは嫌悪《けんお》の裏に、作中人物の運命と芸術家たる作者の運命とのイロニカルな対比の深さがあることによって、表現された単純さは無限に豊かなものになる。その主題の最も苛烈《かれつ》な展開が、昭和八年にいたって名作『禽獣』を生んだ。

『禽獣』には小説家という人間の畜生腹《ちくしよう》の悲哀《ひあい》が凄愴《せいそう》に奏《かな》でられている。この作品は純然たるアレゴリイとして読むほうが、作者の制作心理に触《ふ》れやすい読み方ではないかと思われる。たとえば、自分の生んだ作品を眺《なが》める作家の目を想像しつつ、次の一節を読んでみるがいい。

「この犬は今度が初潮で、体がまだ十分女にはなっていなかった。従ってその眼差《まなざし》は、分娩《ぶんべん》というものの実感が分らぬげに見えた。

『自分の体には今いったい、なにごとが起っているのだろう。なんだか知らないが、困ったことのようだ。どうしたらいいのだろう』と、少しきまり悪そうにはにかみながら、しかし大変あどけなく人まかせで、自分のしていることに、なんの責任も感じていないらしい」

この犬の眼差と、自分の生んだ作品を眺める作家の眼差とは、考えうる限りのもっとも見事な、もっとも残酷《ざんこく》な対比である。作家は本来この犬の眼差をもつ権利があるというのが、作者の絶望的な夢想であるように思われる。犬の眼差は、もしかすると造物主の眼差ではあるまいか。造物主はこんなあどけない無責任な眼差で、自分の造り出した人間を見たのではあるまいか。それは人間存在の意味をたずねる時に、陥らねばならぬ怖《おそ》ろしい懐疑《かいぎ》である。芸術家は人間の眼差をもって生れたことに呵責《かしやく》を感じる。本来彼はこの犬の眼差をもって生れて来る権利があった。そうすれば制作はどんなに容易でありどんなに苦しみを伴《ともな》わない純粋な営為《えいい》でありえたことか。制作に携《たずさ》わる以上、そういう眼差をもつことは当然の権利ではなかったろうか。それにもかかわらず、作家にはなお人間の目が課され、その目を以《もつ》て事物を見詰《みつ》めなければならぬ。芸術家はこうした存在の二重性に悩《なや》み、しかも一方を捨離《しやり》することは芸術家としての死なのである。

『禽獣』に漂《ただよ》う厭人癖《えんじんへき》は、いつも嘔吐《おうと》を伴っている。人間嫌悪はおのれにむかい、制作をして危殆《きたい》に瀕《ひん》せしめる。このような切迫《せつぱく》した危機に生れた作品は一種の不幸な奇《き》蹟《せき》でもあり逆説的な僥倖《ぎようこう》でもあるが、『禽獣』がなお書かれえた神秘の根は、すでに前年（昭和七年）の『抒情歌』において、豊かに明朗に語られているのである。私見によれば、『抒情歌』は川端康成を論ずる人が再読三読しなければならぬ重要な作品である。

この明治の女のきりりとした着附《きつけ》を思わせるような文体によって描かれた真昼の神秘の世界は、川端氏の切実な「童話」であり、童話とはまた、最も純粋に語られた告白である。

氏のように自我の在り方が屈折《くっせつ》している作家は、却《かえ》って『禽獣』のような作品では、告白を成就《じょうじゅ》せずに寓喩《アレゴリイ》を成就してしまうかたわら、『抒情歌』の如《ごと》き作品で、あたり憚《はばか》らず告白して倦《う》まないのである。志賀直哉氏の或る種の作品に見るような殆《ほとん》ど非文学的なまでの自我の露出《ろしゅつ》との面白い対照である。『抒情歌』では、作者の生命への嗜《し》慾《よく》が自我の滅失（心霊《しんれい》）を通じて語られており、自我によって保持される今生《こんじょう》の生命の責任が、「ありがたい抒情詩のけがれ」と観られている。

われわれはすぐさまウイリアム・ブレイクの「無染の歌《ソングス・オブ・イノセンス》」を想起する。完全な童心で歌われたあの最高の詩篇のかずかずを想起する。幼時ブレイクは、大ぜいの天使たちが木蔭《こかげ》に集《つど》い歌をうたいながら燦爛《さんらん》たる翼《つばさ》を動かしているのを見た。また彼はわが家に近い野原に予言者エゼキエルの休んでいるのを見たと云って母に打たれた。

のである。
ブレイクが母に打たれたように、こうした懲罰《ちようばつ》が川端氏にも芸術家の烙印《らくいん》を捺《お》した
「あなたの傍《そば》に眠《ねむ》っていました時、あなたの夢をみたことはありませんでした」
愛とはそういうものだと作者はきわめて現世的に語っているのである。人間の傍《かたわ》ら
に眠っている時、われわれは人間の夢を見ない。夢のない眠りの中から、いかなる表
現が可能であろうか。もし可能でないとすれば、愛は表現されえないものであろうか。
『抒情歌』の女主人公の不可思議な心霊学的才能は、この愛を語り、この愛を視《み》、こ
の愛を表現しなければならなかった女の悲劇なのである。しかも恋人の死の知らせは
女を訪れない。……。

予知の才能。その才能の地上に占《し》める完全な無価値。それにもかかわらず、はっき
りと目に映ってしまう第五緑丸と船尾に誌《しる》された汽船の幻影……。
――ここに至って私は作品解説の当然の不可能を味《あじわ》うのだ。

（昭和二十五年八月、作家）

この稿の冒頭の『川端康成全集』は旧版（全十六巻・昭和23～29年刊）です。新しい『川端康成全集』（全三十五巻・昭和55～59年刊）では、『伊豆の踊子』は第二巻に、『温泉宿』『抒情歌』は第三巻に、『禽獣』は第五巻に収録されています。

年《ねん》譜《ぷ》

明治三十二年（一八九九年） 六月十一日、大阪市天満此花町に、父栄吉、母ゲンの長男として生れる。姉芳子と二人姉弟。父は医師で、漢学をたしなんだ。

明治三十四年（一九〇一年）二歳《さい》 一月、父死去。

明治三十五年（一九〇二年）三歳 一月、母死去。祖父母と、原籍地《げんせき》、大阪府三島郡豊川村に移る。姉は大阪府東成郡鯰江村の叔母《おば》の家に預けられ、離別《りべつ》。

明治三十九年（一九〇六年） 七歳 豊川村小学校に入学。九月、祖母死去。以後祖父と二人で暮す。

明治四十二年（一九〇九年）十歳 七月、姉死去。

明治四十五年・大正元年（一九一二年）十三歳 大阪府立茨木中学校に入学。「新潮」「中央公論」等を読み始め、中学二年頃《ごろ》から小説家を志した。

大正三年（一九一四年）十五歳 五月、祖父死去。孤児《こじ》となり、豊里村の伯父《おじ》の家に引取られた。

大正四年（一九一五年）十六歳 一月、茨木中学の寄宿舎に入り、卒業まで在舎。白樺《しらかば》派の作品を愛読。

大正五年（一九一六年）十七歳 茨木町の小新聞に短編小説や短文を書く。石丸梧平の雑誌「団欒《だんらん》」に『師の柩《ひつぎ》を肩《かた》に』を投稿《とうこう》、掲載《けいさい》され、昭和二年三月には『倉木先生の葬式《そうしき》』として「キング」に再載された。

大正六年（一九一七年）十八歳 三月、中学卒業後、上京。浅草蔵前《くらまえ》の従兄《いとこ》の家に寄留、よく浅草公園に行く。九月、第一高等学校一部乙類（英文）に入学、寮に入る。ロシア文学を最もよく読んだ。

大正七年（一九一八年）十九歳 秋、初めて伊豆に旅行。旅芸人の一行と道づれになる。湯ヶ島温泉にはこの後十年の間、毎年出かける。

大正九年（一九二〇年）二十一歳 七月、一高卒業、東京帝国大学英文学科に入学。同級の石浜金作、酒井真人等に今東光を加えて第六次「新思潮」の発刊を企て、その継承《けいしょう》の了解を得るため菊池寛を訪ねる。以後長く菊池の恩顧《おんこ》を受ける。

大正十年（一九二一年）二十二歳 二月、第六次「新思潮」を創刊。四月、『招魂祭一景《しょうこんさい》』を発表、これがデビュー作となる。この年、菊池宅で横光利一、久米正雄、芥川龍之介《あくたがわりゅうのすけ》等を知る。

四月、『招魂祭一景』（新思潮） 七月、『油』（新

思潮）

大正十一年（一九二二年）二十三歳　六月、英文学科から国文学科に移籍。この年から「新思潮」「文章倶楽部《クラブ》」「時事新報」等に小品や批評を書く。

大正十二年（一九二三年）二十四歳　一月、菊池寛が「文藝春秋」を創刊、二号より編集同人に加わる。五月、『会葬の名人』（文藝春秋、後に『葬式の名人』と改題）七月、『南方の火』（新思潮）

大正十三年（一九二四年）二十五歳　三月、東京帝国大学卒業。卒業論文は『日本小説史小論』。十月、片岡鉄兵、横光、今、中河与一、佐佐木茂索等二十名ほどで「文芸時代」を創刊、〝新感覚派〟が誕生した。

大正十四年（一九二五年）二十六歳

八月、『十七歳の日記』（文藝春秋、後に『十六歳の日記』と改題）十二月、『白い満月』（新小説）

大正十五年・昭和元年（一九二六年）二十七歳　片岡、横光、岸田国士《くにお》と衣笠《きぬがさ》貞之助の新感覚派映画連盟に参加。川端作のシナリオ『狂った一頁《ページ》』を映画化、全関西映画連盟からこの年の優秀映画に推された。

一月、『伊豆の踊子《おどりこ》』（文芸時代、二月完結）

『感情装飾』処女短編集（六月、新潮社刊）

昭和二年（一九二七年）二十八歳　四月、湯ヶ島より上京、高円寺に住む。十一月、熱海に移る。

四月、『梅の雄蘂《おしべ》』（文藝春秋）五月、『柳は緑花は紅』（文芸時代、後に前作と合わせて『春景色』として改稿）

『伊豆の踊子』短編集（三月、金星堂刊）

昭和四年（一九二九年）三十歳　九月、上野桜木町に転居。浅草公園に通い、カジノ・フォーリーの踊子達を知る。十月、堀辰雄、深田久弥、永井龍男等の同人雑誌「文学」に、犬養健、横光とともに参加。

十月、『温泉宿』（改造）十二月、『浅草紅団《くれないだん》』（東京朝日新聞、五年二月完結）

昭和五年（一九三〇年）三十一歳

六月、『春景色』（『十三人倶楽部』第一輯）

昭和六年（一九三一年）三十二歳

一月、『水晶幻想《すいしょう》』（改造）

昭和七年（一九三二年）三十三歳

一月、『父母への手紙』（若草、以後四編分載して九年一月完結）二月、『抒情歌《じょじょうか》』（中央公論）九

月、『化粧と口笛』(朝日新聞、十一月完結) 十月、『慰霊歌《いれいか》』(改造)

昭和八年(一九三三年) 三十四歳 十月、武田麟太《りんた》郎《ろう》、林房雄、小林秀雄、豊島与志雄、里見弴《とん》、宇野浩二、深田等と「文学界」を創刊。

七月、『禽獣《きんじゅう》』(改造) 十二月、『末期《まつご》の眼』(文芸)

昭和九年(一九三四年) 三十五歳 一月、松本学による文芸懇話会《こんわかい》の会員となる。十二月、越後へ旅行。

三月、『虹』(中央公論) 五月、『文学的自叙伝《じじょでん》』(新潮)

昭和十年(一九三五年) 三十六歳 一月、芥川賞が設定され、銓衡《せんこう》委員となる。冬、鎌倉浄明寺宅間ヶ谷に住む林に誘《さそ》われ、その隣家《りんか》に移る。

一月、『夕景色の鏡』(文藝春秋) 『白い朝の鏡』(改造、ともに『雪国』の断章) 七月、『純粋の声』(婦人公論) 十月、『童謡』(改造)

昭和十一年(一九三六年) 三十七歳 一月、「文芸懇話会」が創刊され、同人となる。この年、新潮賞、池谷信三郎賞が設けられ、銓衡委員となる。

一月、『イタリアの歌』(改造) 四月、『花のワルツ』(改造、五月完結) 十月、『父母』(改造) 『女性開眼』(報知新聞、十二年七月完結)

昭和十二年(一九三七年) 三十八歳 七月、『雪国』が尾崎士郎の『人生劇場』とともに文芸懇話会賞受賞。十二月、北条民雄死去。この年、鎌倉《かまくら》二階堂に移る。

『雪国』(六月、創元社刊)

昭和十三年(一九三八年) 三十九歳 四月、本因坊秀哉《しゅうさい》名人引退碁《ご》を観戦。

七月、『名人引退碁観戦記』(東京日日新聞、大阪毎日新聞) 十二月、『高原』(日本評論)

昭和十四年(一九三九年) 四十歳 三月、菊池寛賞銓衡委員となる。冬、熱海に滞在《たいざい》。

昭和十五年(一九四〇年) 四十一歳

一月、『愛する人達』(婦人公論に連載)

昭和十六年(一九四一年) 四十二歳 春から初夏、満洲を旅行。七月、関東軍の招きで、大宅壮一、火野葦平《あしへい》等と満洲へ再び渡《わた》る。奉天、北京《ペキン》に各一カ月、大連に数日滞在、十二月、太平洋戦争開始直前に帰国。

昭和十七年(一九四二年) 四十三歳 八月、島崎藤

村、志賀直哉、里見、武田、瀧井《たきい》孝作を同人とする季刊誌「八雲」を創刊する。
八月、『名人』（八雲）
昭和十八年（一九四三年）四十四歳
六月、『故園』（文芸、二十年一月まで断続連載、未完）十二月、『夕日』（日本評論）
昭和十九年（一九四四年）四十五歳　四月、『故園』『夕日』等により菊池寛賞受賞。十二月、片岡死去。
三月、『夕日』続編（日本評論）
昭和二十年（一九四五年）四十六歳　四月、海軍報道班員として鹿児島県鹿屋の飛行基地に赴《おもむ》く。五月、久米、中山義秀、高見順等鎌倉在住の作家と、貸本屋〝鎌倉文庫〟を開く。これが出版社鎌倉文庫となり、日本橋に事務所を設ける。『源氏物語』を熟読。
昭和二十一年（一九四六年）四十七歳　一月、鎌倉文庫より『人間』を創刊。この年、鎌倉長谷に転居。
二月、『再会』（世界）十二月、『さざん花』（新潮）
昭和二十二年（一九四七年）四十八歳　十二月、横光死去。
十月、『反橋《そりはし》』（風雪別冊）

昭和二十三年（一九四八年）四十九歳　三月、菊池寛死去。六月、日本ペンクラブ会長に就任。
一月、『再婚者の手記』（新潮、断続連載で八月完結、後に『再婚者』と改題）二月、『横光利一弔辞《ちょうじ》』（人間）
『川端康成全集』全十六巻（新潮社刊、二十九年四月完結）
昭和二十四年（一九四九年）五十歳　十一月、広島市の招きでペンクラブの豊島等と原爆《げんばく》の被害《ひがい》を視察。
四月、『しぐれ』（文芸往来）『住吉物語』（個性、後に『住吉』と改題）五月、『千羽鶴《せんばづる》』（読物時事別冊）九月、『山の音』（改造文芸）
昭和二十五年（一九五〇年）五十一歳
十二月、『舞姫《まいひめ》』（朝日新聞、二十六年三月完結）
昭和二十六年（一九五一年）五十二歳
五月、『たまゆら』（別冊文藝春秋）
昭和二十七年（一九五二年）五十三歳　『千羽鶴』が二十六年度芸術院賞受賞。
二月、『月下の門』（新潮、断続連載、十一月完結）
昭和二十八年（一九五三年）五十四歳　十一月、永

井荷風、小川未明とともに芸術院会員に選ばれる。

昭和二十九年（一九五四年）五十五歳　『山の音』により野間文芸賞受賞。

一月、『みずうみ』（新潮、十二月完結）

『呉清源棋談・名人』（七月、文藝春秋新社刊）

昭和三十年（一九五五年）五十六歳　一月、英訳『伊豆の踊子』（サイデンステッカー抄訳）が「アトランティック・マンスリー」に掲載される。

一月、『ある人の生のなかに』（文芸、三十二年一月まで連載、未完）

『東京の人』（一、五、十、十二月、新潮社刊）

『虹いくたび』（二月、河出書房刊）

昭和三十一年（一九五六年）五十七歳

三月、『女であること』（朝日新聞、十一月完結）

昭和三十二年（一九五七年）五十八歳　三月、国際ペンクラブ執行委員会出席のため渡欧《とおう》、モーリヤック、エリオット等に会い、五月帰国。九月、東京で開催された国際ペン大会に尽力《じんりょく》。

昭和三十三年（一九五八年）五十九歳　二月、国際ペンクラブ副会長に就任。六月、沖縄へ旅行。晩秋、胆嚢炎《たんのうえん》で入院。

昭和三十四年（一九五九年）六十歳　四月、退院。五月、フランクフルト市の国際ペン大会でゲーテ・メダルを贈られる。

昭和三十五年（一九六〇年）六十一歳　五月、アメリカ国務省の招待で渡米。七月、ブラジルで開かれた国際ペン大会に出席、八月帰国。フランス政府より芸術文化オフィセ勲章《くんしょう》を贈《おく》られる。

一月、『眠《ねむ》れる美女』（新潮、三十六年十一月完結）

昭和三十六年（一九六一年）六十二歳　十一月、文化勲章受章。

一月、『美しさと哀《かな》しみと』（婦人公論、三十八年十月完結）十月、『古都』（朝日新聞、三十七年一月完結）

昭和三十七年（一九六二年）六十三歳　一月、睡眠《すいみん》薬の禁断症状を起し、入院。十月、世界平和アピール七人委員会に参加。十一月、毎日出版文化賞受賞。

昭和三十八年（一九六三年）六十四歳　四月、日本近代文学館が創立され、監事《かんじ》に就任。

十月、『片腕』（新潮、三十九年一月完結）

昭和三十九年（一九六四年）六十五歳　六月、オスローでの国際ペン大会に出席。
一月、『ある人の生のなかに』（文芸、決定稿）
六月、『たんぽぽ』（新潮、四十三年十月まで断続連載、未完）
昭和四十年（一九六五年）六十六歳　十月、日本ペンクラブ会長を辞任。
九月、『たまゆら』（小説新潮、四十一年三月まで、未完）
昭和四十一年（一九六六年）六十七歳
『落花流水』エッセイ集（五月、新潮社刊）
昭和四十二年（一九六七年）六十八歳　二月、中国の文化革命に際し、石川淳、安部公房、三島由紀夫と学問、芸術の自律性擁護《ようご》のためのアピールを出す。
昭和四十三年（一九六八年）六十九歳　六―七月、参院選に際し、今東光の選挙事務長を務める。十月、ノーベル賞受賞が決定。十二月、スウェーデン・アカデミーにおいて『美しい日本の私―その序説』と題し記念講演。
十二月、『秋の野に』（新潮）
昭和四十四年（一九六九年）七十歳　一月、ノーベル賞受賞の欧州旅行から帰国。三月、ホノルルへ赴く。四月、米国文芸アカデミーの名誉《めいよ》会員となる。五月、ハワイ大学で『美の存在と発見』と題し記念講義。『川端康成全集』（新潮社）の刊行始まる。六月、同大学の名誉文学博士号を受け、帰国。九月、移住百年記念サンフランシスコ日本週間に出席し、『日本文学の美』の特別講演を行う。
一月、『夕日野』（新潮）
昭和四十五年（一九七〇年）七十一歳　六月、台北で開かれたアジア作家会議に出席し講演。同月末、ソウルでの国際ペン大会に出席、漢陽大学で記念講演『以文会友』を行う。十一月、三島由紀夫自決。
一月、『伊藤整』（新潮）三月、『鳶の舞う西空』（新潮）四月、『髪は長く』（新潮）
昭和四十六年（一九七一年）七十二歳　四月、東京都知事選に際し、秦野章の応援《おうえん》に立つ。
一月、『三島由紀夫』（新潮）四月、『書』（新潮、五月分載）十一月、『隅田川』（新潮）十二月、『志賀直哉』（新潮、四十七年三月まで、未完）
昭和四十七年（一九七二年）享年《きょうねん》七十二　三月七日、急性盲腸炎《もうちょうえん》のため入院手術し、十五日に退院。四月十六日、逗子《ずし》マリーナマンション内の仕事部屋でガ